Fabio Caon • Annalisa Brichese • Claudia Meneghetti

A1|B1

# NUOVO
# Espresso
# canzoni

le canzoni ambasciatrici
d'Italia nel mondo

ALMA
Edizioni

# prefazione

**Alessandro Masi**
Segretario Generale della Società Dante Alighieri

Sono molto lieto sia a titolo personale sia in qualità di Segretario Generale della Società Dante Alighieri per l'uscita di questo volume che viene a sigillare un progetto pluriennale voluto fortemente dal Prof. Fabio Caon e dalla Società Dante Alighieri ed, in particolare, dal PLIDA.
A titolo personale perché, al di là dell'amicizia e della stima che mi lega al Prof. Caon, sono appassionato di musica e ho sempre ritenuto che essa sia un veicolo straordinario per diffondere la lingua italiana nel mondo; nella mia funzione professionale perché constato in ogni mia missione presso le varie sedi all'estero della Società Dante Alighieri in tutto il mondo quanto, dall'Asia alle Americhe all'Oceania, sia amata la nostra canzone oltreché la nostra lingua.
In un mondo in così rapida trasformazione in cui la qualità dell'insegnamento gioca un ruolo comunque importantissimo nell'appassionare gli studenti alla lingua e alla cultura di un popolo, ritengo sia fondamentale fornire agli interessati all'italiano delle proposte culturalmente radicate in modo solido nella nostra "italianità" e didatticamente qualificate.
Ritengo che gli autori di questo volume, tutti di estrazione universitaria, con collaborazioni professionali a vario titolo con la Società Dante Alighieri e con stimate competenze operative, in sinergia con una casa editrice di grande rilievo internazionale, possano offrire spunti innovativi ed efficaci al mondo dell'insegnamento e dell'apprendimento dell'italiano nel mondo.

**Silvia Giugni**
Responsabile del PLIDA,
Progetto Lingua Italiana Dante Alighieri
Direttrice Certificazione PLIDA
Responsabile Centri Dante nel Mondo

Accogliamo con grande piacere l'uscita di questo volume che in qualche modo segna una fondamentale evoluzione del progetto "Canzoni Ambasciatrici d'Italia" nato nel 2015 da un'idea di Fabio Caon e condotta operativamente in primis dal Laboratorio di Comunicazione Interculturale e Didattica (LABCOM) dell'Università Ca' Foscari di Venezia e dal PLIDA della Società Dante Alighieri a cui si è aggiunta in seguito ALMA edizioni.
L'indagine iniziale, che aveva raccolto oltre 3000 indicazioni provenienti da 46 Paesi nel mondo, concernente le canzoni italiane più diffuse nelle varie nazioni, e sulla quale poi PLIDA e Ca' Foscari hanno formato molti docenti in Italia e all'estero su come didattizzare i testi musicati, si è evoluta in una nuova forma che ha in questo volume la sua realizzazione "fisica" e testimonia l'unione strategica tra Istituzioni impegnate a diverso titolo e con differenti competenze nel comune obiettivo di promuovere un italiano piacevole e didatticamente di qualità.
Fabio Caon, oltre che un amico, è il maggior esperto nel campo della canzone coniugata alla didattica dell'italiano a stranieri, da anni collabora con il PLIDA e fa parte del suo Comitato Scientifico.

# introduzione

Questo volume nasce dai risultati di una indagine dal titolo "Canzoni Ambasciatrici d'Italia" ideata da Fabio Caon e dal Labcom - Laboratorio di Comunicazione Interculturale e Didattica dell'Università Ca' Foscari di Venezia (www.unive.it/labcom) in collaborazione con la Società Dante Alighieri e, in particolare, il PLIDA a cui si è aggiunta poi ALMA Edizioni. Tale indagine ha lo scopo di conoscere quali siano le canzoni italiane che più rappresentano l'Italia all'estero. Tra le canzoni menzionate ne sono state scelte alcune tra le più votate, coerenti con le indicazioni del sillabo **ADA** e con quelle interne a **Nuovo Espresso**. Il volume, infatti, è stato abbinato a **Nuovo Espresso** con lo scopo di offrire attività che potessero riprendere i temi, i contenuti grammaticali e lessicali utilizzati nelle unità del manuale in modo da poter offrire un prodotto innovativo, integrativo e scientificamente fondato e altamente motivante.

È proprio la dimensione della motivazione e dello sviluppo della curiosità per la lingua e la cultura italiana che indirizza verso la canzone. Da ricerche fatte all'interno del Master Itals di Ca' Foscari, infatti, è emerso quanto essa motivi allo studio dell'italiano da parte di studenti di tutto il mondo; studi scientifici affermano altresì come la canzone, proprio per la sua unione di parole e musica, favorisca intrinsecamente la memorizzazione del lessico e delle strutture rappresentando così una risorsa con grandi potenzialità per un apprendimento stabile e duraturo della lingua.

Tali potenzialità, per essere trasformate in pratiche efficaci, necessitano dei veri protagonisti del processo ovvero il docente da un lato e gli studenti dall'altro; per ciò che concerne i docenti, lo sforzo fatto in questo volume è di coniugare gli elementi già presentati (coerenza tra obiettivi del sillabo ADA e interno al Manuale di riferimento con i testi delle canzoni) con una struttura delle Unità basata sul modello scientifico dell'Unità di Apprendimento (UdA).

L'UdA prevede attività da svolgere prima, durante e dopo l'ascolto, con tecniche didattiche di motivazione iniziale, di comprensione globale ed analitica del testo e di sistematizzazione e espansione dei contenuti focalizzati nelle fasi precedenti. A questo si aggiunge una scheda di presentazione introduttiva dell'autore, della canzone e degli obiettivi (lessicali, grammaticali, comunicativi e culturali) e, in chiusura, una sezione dedicata alle curiosità sul brano o sull'autore.

I livelli dall'A1 al B1 presentano quattro UdA ciascuno da proporre, idealmente, in corrispondenza delle sezioni "Facciamo il punto" di **Nuovo Espresso 1, 2** e **3**. Tale scelta favorisce un reimpiego attivo e diversificato degli elementi linguistici e culturali emersi nelle unità didattiche precedenti attraverso una risorsa motivante come la canzone.

Trattandosi di canzoni estremamente famose in tutto il mondo, i brani musicali possono essere facilmente reperiti su internet nella versione originale.

Il libro include infine una Guida per l'insegnante con le soluzioni di tutte le attività, suggerimenti e ampliamenti per rendere i percorsi didattici ancora più ludici attraverso delle appendici da fotocopiare, ritagliare e utilizzare in classe.

Materiali extra sono disponibili su
*www.almaedizioni.it.*

gli autori

# indice

# indice

# livello **A1**

# Un'estate italiana

testo **Edoardo Bennato e Gianna Nannini** | musica **Giorgio Moroder**
cantanti **Gianna Nannini e Edoardo Bennato** | anno **1989**

**Edoardo Bennato** nasce a Napoli il 23 luglio 1949. Il suo primo disco esce nel 1973 e si intitola *Non farti cadere le braccia*. È uno dei più grandi rocker italiani.

**Gianna Nannini** nasce a Siena il 14 giugno 1956. Il suo primo album è del 1976 e raggiunge il successo negli anni Ottanta grazie alle sue canzoni pop e alla sua voce tipicamente rock.

### la canzone

*Un'estate italiana* è l'inno ufficiale dei Mondiali di calcio del 1990 in Italia. Bennato e Nannini la cantano durante la cerimonia di apertura dei Mondiali, a Milano, davanti a 75.000 spettatori. La canzone ha un grande successo: è il singolo più venduto in Italia nel 1990 e nello stesso anno è primo in classifica in molti Paesi d'Europa.

| Livello | A1 |
|---|---|
| Contenuti grammaticali e lessicali | • Gli articoli determinativi e indeterminativi singolari<br>• I numeri<br>• Gli aggettivi di nazionalità<br>• Le professioni |
| Contenuti comunicativi | • Descrivere una persona: informazioni personali |
| Obiettivi culturali | • Sapere come nasce la canzone *Un'estate italiana* |

# un'estate italiana

**1a** *In quale stagione è la tua notte magica? Scegli la stagione che preferisci*  • individuale

☐

in primavera

☐

in estate

☐
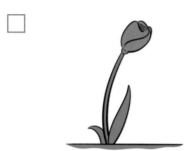
in autunno

☐

in inverno

**1b** *Pensa a una notte magica in Italia, che cosa fai? Scegli una foto.*  • individuale

**1**

**2**

**3**

**4**

**5**

**6**

**1c** *Confrontate le vostre risposte e scegliete solo un'immagine, la più magica per voi. Poi completate la frase.*  •• a coppie

Scegliamo la foto n°_____ perché _____.

# un'estate italiana

**2a** ▶ *Ascolta la canzone. Guarda i disegni e segna quelli che senti.*

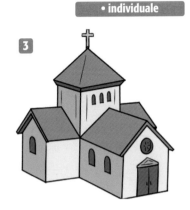

1

**2b** *Confrontate le vostre risposte con i compagni.*

**3a** *Secondo voi, di che cosa parla la canzone? Scegliete la risposta corretta.*

> **1** ☐ Mondiale di calcio     **1** ☐ Cena al ristorante     **1** ☐ Passeggiata in città

**3b** *Riascoltate la canzone e controllate le vostre risposte. Poi completate la frase nel riquadro con le parole delle attività* **2a** *e* **3a**. *Se necessario ascoltate ancora una volta.*

> La canzone parla di un _____.
> I cantanti usano le tre parole: _____, _____ e
> _____.

**4a** *Completate il testo della canzone con le parole rappresentate nei disegni.*   ● ● a coppie

Forse non sarà una canzone
A cambiare le regole del _____
Ma voglio viverla così quest'avventura
Senza frontiere e con il _____ in gola
E il mondo in una giostra di colori
E il vento accarezza le bandiere
Arriva un brivido e ti trascina via
E sciogli in un _____ la follia
Notti magiche
Inseguendo un goal
Sotto il _____
Di un'_____ italiana
E negli occhi tuoi
Voglia di vincere
Un'_____
Un'avventura in più
Quel sogno che comincia da _____
E che ti porta sempre più lontano
Non è una favola, e dagli spogliatoi
Escono i ragazzi e siamo noi
Notti magiche
Inseguendo un goal
Sotto il _____
Di un'_____ italiana
E negli occhi tuoi
Voglia di vincere
Un'_____
Un'avventura in più
Notti magiche
Inseguendo un goal
Sotto il _____
Di un'_____ italiana
E negli occhi tuoi
Voglia di vincere
Un'_____
Un'avventura in più
Un'avventura
Un'avventura in più
Un'avventura goal

abbraccio

bambino

cielo

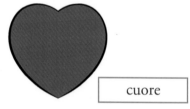
cuore

estate

gioco

Gianna Nannini e Edoardo Bennato | **Un'estate italiana**
Testo: Edoardo Bennato e Gianna Nannini – Musica: Giorgio Moroder
Warner Bros Music/Sugarmusic 1990

**4b** *Confrontate le risposte con i vostri compagni.*   ● ● ● a gruppi

# un'estate italiana

**5a** *Rileggete il testo della canzone e cercate gli articoli determinativi e indeterminativi* •• a coppie *singolari. Scrivete gli articoli nella tabella con il sostantivo, come negli esempi.*

| articolo determinativo singolare | | articolo indeterminativo singolare | |
|---|---|---|---|
| maschile | femminile | maschile | femminile |
| il cuore | | | una canzone |
| | | | |

**5b** *Confrontate le risposte con i vostri compagni.* •••• in plenum

**5c** *Scrivete per ogni colonna quattro sostantivi con l'articolo corretto. Quando finite,* ••••• a gruppi *dite STOP. Non usate le parole dell'attività* **5a***.*

| articolo determinativo singolare | | articolo indeterminativo singolare | |
|---|---|---|---|
| maschile | femminile | maschile | femminile |
| | | | |
| | | | |

**5d** *Confrontate le risposte con i vostri compagni. Vince il gruppo che ha più parole* •••• in plenum *corrette e diverse dagli altri gruppi.*

Guida per l'insegnante Vai a pag. 138

**1**

## 6a

*Leggi i profili Facebook di cinque italiani famosi e decidi con chi passare una notte magica.*

← Q Cerca

**Francesco Totti**

Amici  Segui  Messaggi  Altro

⌂ Nato il: 27/09/1976
⦿ Vive a: Roma
🗄 Professione: Calciatore

← Q Cerca

**Valeria Golino**

Amici  Segui  Messaggi  Altro

⌂ Nata il: 22/10/1965
⦿ Vive a: Roma
🗄 Professione: Attrice

← Q Cerca

**Massimo Bottura**

Amici  Segui  Messaggi  Altro

⌂ Nato il: 30/09/1962
⦿ Vive a: Modena
🗄 Professione: Chef

← Q Cerca

**Carmen Consoli**

Amici  Segui  Messaggi  Altro

⌂ Nata il: 4/09/1974
⦿ Vive a: Catania
🗄 Professione: Cantante

← Q Cerca

**Domenico Dolce**

Amici  Segui  Messaggi  Altro

⌂ Nato il: 13/08/1958
⦿ Vive a: Milano
🗄 Professione: Stilista

← Q Cerca

**Stefano Gabbana**

Amici  Segui  Messaggi  Altro

⌂ Nato il: 14/11/1962
⦿ Vive a: Milano
🗄 Professione: Stilista

## 6b

*Dite ai vostri compagni chi scegliete e perché.*

## 6c

*Confrontate le vostre risposte con i vostri compagni. Cercate il personaggio preferito e scrivete il suo nome.*

Il personaggio preferito è

_____

# un'estate italiana

**7a** *Pensa a due persone famose nel tuo paese. Completa il loro profilo Facebook.*  • individuale

**7b** *Presentate ai compagni i vostri personaggi famosi. Completate la tabella con le informazioni della classe.*  •••• in plenum

| Sesso | Uomini | n° _____ |  |
|---|---|---|---|
|  | Donne | n° _____ |  |
| Nazionalità | n° _____ | Quali? |  |
| Professioni | n° _____ | Quali? |  |

# un'estate italiana

**8a** *Leggete il testo e inserite le parole della lista negli spazi.* ●● a coppie

| famosa | italiana | titolo | italiano | inglese | compositore |

Nel 1989 il musicista _____ Giorgio Moroder scrive le musiche per la FIFA World Cup del 1990. Il _____ della canzone è *To be number one*: scrive le parole il _____ americano Tom Whitlock. Nello stesso anno Moroder chiede ai cantanti Edoardo Bennato e Gianna Nannini di scrivere la versione _____. Questa versione diventa più _____ non solo in Italia, ma anche nei paesi dove le persone parlano _____.

**8b** *Confrontate le parole con i compagni.* ●●●● in plenum

**9a** *Immaginate di scrivere la canzone dei prossimi mondiali di calcio. Completate la tabella.* ●● a coppie

Qual è il titolo della canzone?

Qual è il tipo di musica (genere)?

Chi è il cantante / il gruppo?

**9b** *Confrontate le vostre idee con i compagni.* ●●●● in plenum

# Felicità

testo e musica **Cristiano Minellono, Dario Farina e Gino De Stefani**
cantante **Al Bano (Albano Carrisi) e Romina Power** | anno **1982**

**Al Bano e Romina Power** sono la più famosa coppia della musica popolare italiana.
Al Bano, soprannome di Albano Carrisi, nasce a Cellino San Marco il 20 maggio1943.
Il 26 luglio 1970 sposa Romina Power, nata il 2 ottobre 1951 a Los Angeles dai celebri attori Tyrone Power e Linda Christian.
Per anni Al Bano e Romina cantano insieme fino alla separazione, avvenuta nel 2001.
Ricominciano a cantare insieme nel 2015, riproponendo i loro più grandi successi in vari concerti ed eventi.

## la canzone

*Felicità* è una delle canzoni più note incise da Al Bano e Romina Power. La canzone viene presentata al Festival di Sanremo del 1982 dove si classifica al secondo posto.
*Felicità* raggiunge il record di 25 milioni di copie vendute in tutto il mondo e si piazza al 1° posto nelle classifiche in Italia. Entra in *top ten* anche in molti Paesi europei.
La canzone fa parte di numerosi album di Al Bano e Romina Power: esistono 9 versioni in studio (cantate in italiano o in spagnolo) e 4 versioni dal vivo.

AL BANO e ROMINA POWER

**Felicita**

| Livello | A1 |
|---|---|
| Contenuti grammaticali e lessicali | • Il verbo *esserci*<br>• Gli interrogativi *dove, come, quale, che cosa*<br>• Il lessico delle emozioni<br>• Le espressioni *mi fa stare bene, mi lascia indifferente, non mi fa stare bene* |
| Contenuti comunicativi | • Parlare delle azioni quotidiane<br>• Descrivere un'immagine (indicare la presenza di oggetti) |
| Obiettivi culturali | • Capire il messaggio della canzone *Felicità* |

# felicità

**1a** *Cosa ti fa stare bene? Cosa ti lascia indifferente? Cosa non ti fa stare bene?*
*Inserisci le azioni della lista nello schema. Poi aggiungi tu una frase in ogni colonna.*

• individuale

> stare al computer - andare in alberghi belli - avere sempre la connessione Wi-Fi - viaggiare -
> visitare musei - svegliarmi presto - svegliarmi tardi - andare spesso al ristorante - cucinare -
> chattare - guardare la Tv - fare ginnastica - stare sul divano - andare in bicicletta -
> muovermi in auto - giocare a carte - fare la spesa - lavorare in giardino - ascoltare la musica -
> andare al cinema - guardare i film a casa - uscire poco - uscire spesso - mangiare dolci -
> mangiare cose sane

*viaggiare*            *giocare a carte*            *lavorare in giardino*

| 😊 mi fa stare bene | 😐 mi lascia indifferente | 😠 non mi fa stare bene |
|---|---|---|
| - andare in alberghi belli | - stare al computer | - cucinare |
| - avere sempre la connessione WiFi | - visitare musei | - chattare |
| - viaggiare | - svegliarmi tardi | - andare in biciletta |
| - svegliarmi presto | - guardare la Tv | - uscire poco |
| - andare spesso al ristorante - | - | |
| - muovermi in auto | | |
| - giocare a carte | | |

**1b** *Confrontate le vostre risposte con la classe. Qual è la cosa che fa stare più bene?*
*Quale lascia più indifferente? Quale fa stare meno bene?*

•••• in plenum

**2a** *Che cos'è per te la felicità? Completa lo schema scrivendo 4 cose che fai e che ti*
*rendono felice.*

• individuale

**1** un gelato

**2** tempo in famiglia

Per me, la **felicità** è …

**3** la spiaggia

**4** viaggiare con mi amici

**2b** *A turno, mimate le vostre risposte al compagno. Il compagno osserva e completa*
*l'elenco. Poi scambiatevi i ruoli.*

•• a coppie

**1** _____

**2** _____

**3** _____

**4** _____

**2c** *Confrontate le vostre risposte con i compagni.*

•••• in plenum

2

# felicità

**3a** ▶ *Ascoltate la canzone e decidete da chi è cantata.*

•• a coppie

☐ due amici ☑ due innamorati ☐ fratello e sorella

**3b** *Ascoltate di nuovo la canzone. Scrivete le parole che sentite e spiegano la vostra risposta al punto* **3a**.

•• a coppie

Le parole che sentiamo
nella canzone sono:

**3c** *Confrontate le vostre risposte con i compagni.*

•••• in plenum

**2**

**4a** *Riascoltate la canzone, guardate le immagini e mettete una crocetta vicino a quelle che sentite nominare.*

•• a coppie

**1** ☑    **2** ☐    **3** ☑    **4** ☑

**5** ☑ 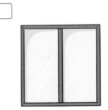   **6** ☐    **7** ☑ 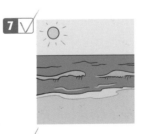   **8** ☐

**9** ☐ 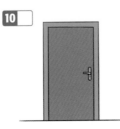   **10** ☐    **11** ☑

# felicità

**4b** *Leggete il testo e inserite negli spazi le parole che avete scelto al punto* **4a**.

Felicità
è tenersi per mano andare lontano
la felicità
è il tuo sguardo innocente in mezzo alla gente
la felicità
è restare vicini come bambini la felicità,
felicità.

Felicità
è un _cusino_ di piume
l'acqua del fiume che passa e che va
è la _pioggia_ che scende
dietro le tende la felicità
è abbassare la luce per fare pace
la felicità, felicità.

Felicità
è un _bicchiere di vino_ con un panino
la felicità
è lasciarti un biglietto dentro al cassetto
la felicità
è cantare a due voci quanto mi piaci
la felicità, felicità.

Senti nell'aria c'è già
la nostra canzone d'amore che va
come un pensiero che sa di felicità
Senti nell'aria c'è già
un raggio di sole più caldo che va
come un sorriso che sa di felicità.

Felicità
è una sera a sorpresa
la _luna_ accesa
e la radio che va.
È un _biglietto d' auguri_
pieno di cuori
la felicità
è una telefonata non aspettata
la felicità, felicità.

Felicità
è una _spiaggia_ di notte
l'onda che batte la felicità
è una mano sul cuore piena d'amore
la felicità
è aspettare l'aurora per farlo ancora
la felicità, felicità.

Senti nell'aria c'è già
la nostra canzone d'amore che va
come un pensiero che sa di felicità.
Senti nell'aria c'è già
un raggio di sole più caldo che va
come un sorriso che sa di felicità.

Senti nell'aria c'è già
la nostra canzone d'amore che va
come un pensiero che sa di felicità.
Senti nell'aria c'è già
un raggio di sole più caldo che va
come un pensiero che sa di felicità.

Al Bano e Romina Power | **Felicità**
Testo e musica: Cristiano Minellono, Dario Farina e Gino De Stefani
Baby Records, EMI 1982

**4c** *Ascoltate la canzone e verificate le parole che avete inserito.*

# felicità

**5** *Guardate le due immagini,* **a** *e* **b**, *trovate le 7 differenze e scrivete le frasi, come* •• a coppie *nell'esempio.*

Es. Nell'immagine **a** ci sono le tende mentre nell'immagine **b** non ci sono le tende.

**1** _____

**2** _____

**3** _____

**4** _____

**5** _____

**6** _____

**7** _____

## felicità

**6a** *Completate la domanda con l'interrogativo corretto. Aiutatevi con la risposta.* **•• a coppie**

| dove | come | quale | che cosa | perchè |

**1** _dove_ è il biglietto? → Dentro al cassetto.
**2** _che cosa_ c'è vicino al panino? → Un bicchiere di vino.
**3** _perchè_ il cantante abbassa la luce? → Per fare la pace.
**4** _com'è_ è il biglietto di auguri? → Pieno di cuori.
**5** _quale_ rumore fa felice il cantante? → L'onda che sbatte sulla spiaggia.

**6b** *Confrontate le vostre risposte con i compagni.* **•••• in plenum**

**7a** *Abbina la parola all'immagine corrispondente.* **• individuale**

**1** e delusione    **3** f nostalgia    **5** d sorpresa
**2** c noia         **4** b rabbia       **6** a tristezza

**a**

**b**

**c**

**d**

**e**

**f**

2

# felicità

**7b** *Completate la tabella da soli e poi, a turno, intervistate il vostro compagno.*   •• a coppie

| Per me | Per _____ <br> (nome del compagno) |
|---|---|
| La tristezza è _____ | La tristezza è _____ |
| La rabbia è _____ | La rabbia è _____ |
| La noia è _____ | La noia è _____ |
| La sorpresa è _____ | La sorpresa è _____ |
| La delusione è _____ | La delusione è _____ |
| La nostalgia è _____ | La nostalgia è _____ |

**7c** *Confrontate le vostre risposte con i compagni.*   •••• in plenum

**8a** *Tirate il dado. Ogni numero corrisponde ad un'emozione. Riscrivete la strofa della canzone con l'emozione abbinata al numero.*   •• a coppie

**1** noia   **2** stanchezza   **3** tristezza

**4** rabbia   **5** delusione   **6** nostalgia

| testo originale | testo riscritto |
|---|---|
| Felicità <br> è un bicchiere di vino con un panino <br> la felicità <br> è lasciarti un biglietto dentro al cassetto <br> la felicità <br> è cantare a due voci quanto mi piaci <br> la felicità, <br> felicità | _____ <br> è un/una _____ <br> la _____ <br> è _____ <br> la _____ <br> è _____ <br> la _____, <br> _____. |

**8b** *Presentate i vostri testi ai compagni.*   •••• in plenum

**curiosità**

### 9a   *Leggi le sei curiosità sulla vita di Al Bano e completa la tabella.*

**1** Incontra Loredana Lecciso, la sua seconda moglie, mentre accompagna a scuola le sue figlie Cristel e Romina Jr.

**2** Nel 1992 denuncia Michael Jackson per aver copiato un suo brano *I cigni di Balaka*. Al Bano inizialmente perde la causa e deve pagare le spese del processo. Poi, nel 1999, il tribunale di Roma gli dà ragione e Michael Jackson è costretto a pagare 4 milioni di lire di risarcimento.

**3** Ha scritto un'autobiografia intitolata "La mia vita" dove non parla delle due donne della sua vita, Romina Power e Loredana Lecciso. Per loro lascia nel libro due pagine bianche.

**4** Pippo Baudo (noto presentatore TV) scopre Al Bano entrando per caso nel ristorante dove lui lavora come cameriere. Invece degli spaghetti, Al Bano porta una chitarra e comincia a cantare.

**5** La cosa più dolorosa della vita di Al Bano è la scomparsa della figlia Ylenia, avuta con Romina Power.

**6** Al Bano è cantante ma anche produttore di vini.

*adattato da donnaglamour.it*

Al Bano

Romina Power

Loredana Lecciso

| | 1 | 2 | 3 | 4 | 5 | 6 |
|---|---|---|---|---|---|---|
| Quale curiosità su Al Bano ti sorprende di più? | | | | | | ✓ |
| Quale ti annoia di più? | | | | | | |
| Quale ti delude di più? | | | | | | |
| Quale ti piace di più? | | | | | | |
| Quale ti sembra più triste? | | | | | | |

### 9b   *Confrontate le vostre risposte e motivate le scelte.*

# Azzurro

testo **Vito Pallavicini** | musica **Paolo Conte e Michele Virano**
cantante **Adriano Celentano** | anno **1968**

**Adriano Celentano** nasce a Milano il 6 gennaio 1938.
Raggiunge il successo nel 1958 con canzoni come *24mila baci*
e *Il tuo bacio è come un rock*. Nel 1961, primo caso in Italia,
crea una sua etichetta discografica, la Clan Celentano. In
tutta la sua carriera, Celentano riesce sempre a stupire il suo
pubblico: la sua *Il ragazzo della via Gluck* del 1961 è considerata
la prima canzone in Europa che parla di ecologia, mentre
*Prisencolinensinanciusol*, del 1972, è considerato il primo rap al
mondo.
Partecipa al Festival di Sanremo cinque volte e vince nel 1970
con *Chi non lavora non fa l'amore*, in coppia con la moglie
Claudia Mori. Come attore recita in circa quaranta film ed è
registra di tre pellicole, compreso il grandissimo successo del
1975, *Yuppi du*.

### la canzone

*Azzurro*, uscita nel 1968, ha subito grande successo in Italia ed è
uno dei brani più cantati all'estero insieme a *Nel blu dipinto di blu*.
L'autore della canzone, il grande cantautore Paolo Conte,
compone una musica non ben definibile: non è un rock, non è
un lento, non è una ballata, non è un liscio ma è una specie di
marcia molto originale.
Anche il testo è molto particolare perché parla di un'estate
solitaria in città.

| Livello | A1 |
|---|---|
| Contenuti grammaticali e lessicali | • I verbi al passato prossimo<br>• Le preposizioni *a* e *in*<br>• Le preposizioni articolate *a* + articolo<br>• Il lessico della città |
| Contenuti comunicativi | • Descrivere le proprie vacanze<br>• Descrivere la foto di una città<br>• Parlare della propria vacanza migliore e peggiore |
| Obiettivi culturali | • Sapere quali sono altre versioni della canzone *Azzurro* |

# azzurro

**1a** *Pensa alle tue vacanze. Quali persone, luoghi, oggetti e azioni ti vengono in mente? Completa la tabella.*

• individuale

**1** Persone ___mei amici___

**2** Luoghi ___la spiaggia , il ristorante___

**3** Oggetti ___il cellulare___

**4** Azioni ___andare al parco, mangiare___

**1b** *Confrontate le vostre risposte.*

1) sorella
2) Inghilterra
3) foto
4)

•• a coppie

**2a** *Il titolo della canzone è **Azzurro**. Cerca, ritaglia e incolla o disegna nello spazio un'immagine di vacanza che associ a questo colore.*

• individuale

3

**2b** *Datevi una lettera, A e B. Lo studente A fa delle domande allo studente B per capire com'è l'immagine che ha realizzato nel riquadro qui sopra (seguite l'esempio) e scrive le informazioni nella tabella. Poi scambiatevi il ruolo.*

•• a coppie

Es. *È un'immagine di mare? Di montagna? Di collina? Ci sono delle persone? Qual è il colore principale? Ecc.*

IMMAGINE DI _____ (nome compagno/a)

**3a** ▶ *Ascolta la canzone, poi guarda le immagini e ricostruisci la storia numerando le immagini da 1 a 5.*

• individuale

a 5  b 3  c 1  d 4  e 2

**3b** *A turno, raccontate la storia al vostro compagno così come l'avete ricostruita.*

•• a coppie

**4a** *Abbina la parola all'immagine corrispondente.*

• individuale

1 g  2 h  3 a  4 e

a aeroplano  b baobab  c città  d giardino

e prete  f rose  g tetti  h treno

5 d  6 f  7 b  8 c

# azzurro

**4b** *Confrontate le vostre risposte. Leggete il testo e inserite le parole del punto* **4a**.

•• a coppie

Cerco l'estate tutto l'anno
e all'improvviso eccola qua.
Lei è partita per le spiagge
e sono solo quassù in _____,
sento fischiare sopra i _____
un _____ che se ne va.

Azzurro,
il pomeriggio è troppo azzurro
e lungo per me.
Mi accorgo
di non avere più risorse,
senza di te,
e allora
io quasi quasi prendo il _____
e vengo, vengo da te,
ma il treno dei desideri
nei miei pensieri all'incontrario va.

Sembra quand'ero all'oratorio,
con tanto sole, tanti anni fa.
Quelle domeniche da solo
in un cortile, a passeggiar...
ora mi annoio più di allora,
neanche un _prete_____
per chiacchierar...
Azzurro,
il pomeriggio è troppo azzurro
e lungo per me.

Mi accorgo
di non avere più risorse,
senza di te,
e allora
io quasi quasi prendo il treno
e vengo, vengo da te,
ma il treno dei desideri
nei miei pensieri all'incontrario va.

Cerco un po' d'Africa in
_____,
tra l'oleandro e il _____,
come facevo da bambino,
ma qui c'è gente, non si può più,
stanno innaffiando le tue _____,
non c'è il leone, chissà dov'è...

Azzurro,
il pomeriggio è troppo azzurro
e lungo per me.
Mi accorgo
di non avere più risorse,
senza di te,
e allora
io quasi quasi prendo il treno
e vengo, vengo da te,
ma il treno dei desideri
nei miei pensieri all'incontrario va.

Adriano Celentano | **Azzurro**
Testo: Vito Pallavicini – Musica: Paolo Conte e Michele Virano
Clan Celentano 1968

**4c** *Ascoltate la canzone e verificate le parole che avete inserito.*

•••• in plenum

**5a** *Leggete i verbi della lista. Completate la tabella con le attività che, secondo voi, la ragazza ha fatto in spiaggia e il cantante ha fatto in città coniugando il verbo al **passato prossimo**, come nell'esempio.*

•• a coppie

| prendere il sole | nuotare | fare sport | andare al cinema |

| passeggiare | chiacchierare | cenare al ristorante | conoscere persone nuove |

| andare in discoteca | studiare | pulire casa |

| lavorare | prendere il treno |

| La ragazza è partita per le spiagge | Il cantante è restato in città |
|---|---|
| Ha preso il sole; | |
| | |
| | |
| | |
| | |

**5b** *Confrontate le vostre risposte con la classe.*

•••• in plenum

**3**

**6a** *Completa le frasi scegliendo tra le preposizioni **a** e **in**.*

• individuale

1 La mia ragazza è _____ spiaggia con i suoi amici.
2 Ieri ho preso il sole _____ giardino a casa di mia sorella.
3 Quest'estate voglio andare _____ teatro più spesso.
4 Da giugno sono _____ casa e posso rilassarmi un po'.
5 Siete andati _____ centro con i compagni del corso di italiano?
6 L'anno scorso abbiamo passato le vacanze _____ Venezia.

**6b** *Confrontate le vostre risposte e scrivete due nuove frasi, una con **a** e l'altra con **in**.*

•• a coppie

1 Frase con **a**: _____
2 Frase con **in**: _____

**6c** *Leggete le vostre frasi ai compagni.*

•••• in plenum

**7a** *A turno scegliete una parola. Dite quale preposizione articolata formata da* **a** *+ articolo è corretta per completare la frase* **Io vado...** *Attenzione: due parole non vogliono la preposizione articolata ma solo quella semplice. Vince chi completa più frasi correttamente.* **•• a coppie**

Es. *Io vado al mercato.*

| ~~mercato~~ | lezione | stadio | parco |
|---|---|---|---|
| teatro | supermercato | giostre | ambulatorio medico |
| giardini pubblici | terme | corso di italiano | ipermercato |
| centro commerciale | cinema | zoo | impianti sportivi |

**7b** *Scegliete tre parole tra quelle del punto* **7a** *e scrivete tre frasi con questa struttura:* **Vado** *+ preposizione + luogo + personale con cui volete andarci, come nell'esempio.* **• individuale**

Es. *Vado a scuola con il mio amico Matteo.*

**1** _____
**2** _____
**3** _____

**7c** *Confrontate le vostre risposte con i compagni.* **•••• in plenum**

**8a** *Guardate nella prossima pagina l'immagine della città e memorizzate il maggior numero di informazioni. Allo* **STOP** *dell'insegnante coprite l'immagine e scrivete in un unico foglio quante più cose ricordate. Dovete scrivere brevi frasi, come nell'esempio.* **•• • a gruppi**

Es. *I ragazzi sono in piazza.*

**8b** *Confrontate le vostre risposte. Vince la squadra che ha scritto più informazioni corrette.* **•••• in plenum**

**9a** *Immaginate di dover passare le vacanze da soli in città. Che cosa fate? Intervistate il vostro compagno e prendete appunti sulla sua giornata nello spazio a pagina 40.* **•• a coppie**

| Mattina | Pomeriggio | Sera | Notte |
|---|---|---|---|

3

**9b** *Presentate la giornata del vostro compagno utilizzando la terza persona singolare.*  ● ● ● ● in plenum

**10a** *Pensa alla tua vacanza migliore e a quella peggiore. Poi completa i due riquadri.*  ● individuale

La vacanza migliore

Dove: _____
Quando: _____
Con chi: _____
3 aggettivi per descriverla:

_____
_____
_____

La vacanza migliore

Dove: _____
Quando: _____
Con chi: _____
3 aggettivi per descriverla:

_____
_____
_____

**10b** *Presentate le vostre vacanze migliori e quelle peggiori ai compagni.*  ● ● ● ● a gruppi

*curiosità*

**11a** *Leggi il testo e guarda la copertina dell'album.*  `• individuale`

Il gruppo musicale tedesco "Die Toten Hosen" ha cantato in italiano la canzone *Azzurro* durante i mondiali di calcio del 1990, vinti proprio dalla Germania. Altri artisti italiani, tra cui Renzo Arbore, I ricchi e poveri e Fiorello hanno cantato *Azzurro* e il testo è stato tradotto anche in inglese, spagnolo, francese, tedesco, ungherese ed ebraico.

*Secondo te, in quale genere il gruppo tedesco dei "Die Toten Hosen" ha rifatto la canzone? Motiva la tua risposta.*

Secondo me il genere è:

☐ classico  ☐ pop  ☐ punk rock  ☐ latino americano  ☐ altro: _____
perché _____ .

**11b** *Confrontate le vostre risposte con i compagni.*  `•••• in plenum`

**12a** *Immaginate di essere il cantante di un gruppo e di dover fare una nuova versione della canzone. Decidete in quale genere farla e scrivetelo. Poi disegnate o fate un collage in un foglio A4 della copertina del vostro disco.*  `•• a coppie`

*Genere:* _____

**12b** *Mostrate le vostre copertine alla classe. I vostri compagni indovinano di quale genere si tratta.*  `•••• in plenum`

3

# Albachiara

testo e arrangiamento **Vasco Rossi** | musica **Massimo Riva**
cantante **Vasco Rossi** | anno **1979**

A1

**Vasco Rossi**, soprannominato Blasco, nasce a Zocca il 7 febbraio 1952. È un cantautore e rocker italiano molto famoso che ha pubblicato più di 30 album e scritto circa 180 canzoni. Da giovane vuole studiare teatro ma il padre lo costringe a iscriversi all'Università. Abbandona presto gli studi e vive una vita senza regole fatta di musica, alcool, droga e finendo anche in carcere. Con oltre 220.000 biglietti venduti per il Modena Park 2017, Vasco Rossi ottiene il record mondiale di spettatori paganti per un singolo concerto.

## la canzone

*Albachiara* è il primo grande successo di Vasco Rossi. Si trova nell'album *Non siamo mica gli americani!* ma il singolo ha un successo così grande che l'album cambia il titolo proprio in *Albachiara*. Dal 1979 il brano chiude ogni concerto del cantante e le molte versioni dal vivo vengono inserite anche negli album successivi. L'autore dice di aver scritto la canzone mentre la mamma cucinava e lui guardava una ragazzina di 14 anni che passava sempre alla fermata dell'autobus della sua città.

| Livello | A1 |
|---|---|
| Contenuti grammaticali e lessicali | • I modi di dire con il verbo *fare*<br>• I verbi riflessivi<br>• Gli aggettivi possessivi<br>• Gli avverbi di tempo e di frequenza<br>• Il complemento di paragone |
| Contenuti comunicativi | • Descrivere una persona<br>• Parlare delle abitudini<br>• Parlare della frequenza |
| Obiettivi culturali | • Sapere cosa ha ispirato la canzone *Albachiara* |

io sono
tu sei
lui/lei è
noi siamo
voi siete
loro sono

4

**1a** *Leggete le sette domande e cancellate quella più personale e quella meno interessante.*

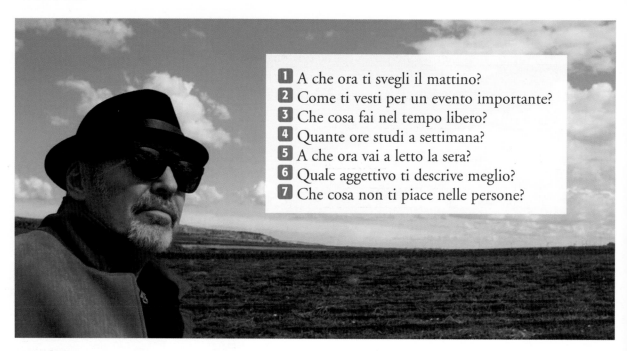

> **1** A che ora ti svegli il mattino?
> **2** Come ti vesti per un evento importante?
> **3** Che cosa fai nel tempo libero?
> **4** Quante ore studi a settimana?
> **5** A che ora vai a letto la sera?
> **6** Quale aggettivo ti descrive meglio?
> **7** Che cosa non ti piace nelle persone?

**4**

**1b** *Scrivete nella colonna di sinistra il numero delle domande che avete scelto al punto* **1a**. *Datevi una lettera, A e B. Lo studente A intervista lo studente B e scrive le risposte. Poi scambiatevi i ruoli.*

| domande | risposte di _____ |
|---------|------------------------------|
| _____ | |
| _____ | |
| _____ | |
| _____ | |
| _____ | |

**3a** *Leggete alcuni versi della canzone che parla di una ragazza. Che idea vi fate di lei? Fate una breve descrizione e trovate un'immagine che la rappresenti o disegnate il suo viso.*

`•• a coppie`

> Diventi rossa se qualcuno ti guarda *- Blush when someone sees*
> Non metti mai niente che possa attirare attenzione
> Cammini per strada mangiando una mela coi libri di scuola
> Occhi grandi forse un po' troppo sinceri con la faccia pulita

È una ragazza *giovane, le piace studiare, gentile e timida, inocente*

(incollare qui immagine o disegnare il viso)

**3b** *Confrontate le vostre descrizioni con la classe.*

`•••• in plenum`

**4a** ▶ *Ascolta la canzone e metti una crocetta sulle immagini che rappresentano la ragazza così come la vede il cantante.*

`• individuale`

**4**

| | | | |
|---|---|---|---|
| Abbigliamento | ① | ② | ③ |
| Trucco | ④ | ⑤ | ⑥ |
| Viso | ⑦ | ⑧ | ⑨ |

**4b** *Riascoltate la canzone e confrontate le vostre risposte con i compagni. Com'è la ragazza della canzone? Scegliete tre aggettivi per descriverla.*

`••• a gruppi`

# albachiara

**5a** *Completate il testo con i verbi della lista al presente. Attenzione, alcuni verbi si ripetono.*

| risvegliarsi | addormentarsi | diventare | vestirsi |
|---|---|---|---|
| camminare | guardare | sfiorarsi | |

*parla di Lei, scritto come chi parla con Lei*

Respiri piano per non far rumore
_ti addormenti_ di sera
_ti risvegli_ col sole
Sei chiara come un'alba
Sei fresca come l'aria
_diventi_ rossa
Se qualcuno ti guarda
E sei fantastica quando sei assorta
Nei tuoi problemi
Nei tuoi pensieri
_ti vesti_ svogliatamente
Non metti mai niente
Che possa attirare attenzione
Un particolare
Solo per farti guardare
Respiri piano per non far rumore
_ti addormenti_ di sera
_ti risvegli_ con il sole
Sei chiara come un'alba
Sei fresca come l'aria
_diventi_ rossa
Se qualcuno ti guarda
E sei fantastica quando sei assorta
Nei tuoi problemi
Nei tuoi pensieri
_ti vesti_ svogliatamente
Non metti mai niente
Che possa attirare attenzione
Un particolare
Solo per farti guardare
E con la faccia pulita
_cammini_ per strada
Mangiando una mela

Coi libri di scuola
Ti piace studiare
Non te ne devi vergognare
E quando _guardi_
Con quegli occhi grandi
Forse un po' troppo sinceri, sinceri
Si vede quello che pensi
Quello che sogni
Qualche volta fai pensieri strani
Con una mano, una mano,
_ti sfiori_
Tu sola dentro la stanza
E tutto il mondo fuori

Vasco Rossi | **Albachiara**
Testo e arrangiamento: Vasco Rossi – Musica: Massimo Riva
Lotus Records 1979

**5b** *Ascolta la canzone e verifica.*

4

**6** *Leggete le frasi e trovate quelle corrette. Cerchiate le lettere abbinate alle frasi corrette e trovate la parola misteriosa che descrive la protagonista della canzone. Attenzione: per formare la parola dovete mettere in ordine le lettere.*

• • a coppie

**1** *Mi* Alzo sempre alle 9.00.
**2** Di solito si fa la doccia prima di andare a letto.
**3** Domani andiamo al cinema da soli io e te.
**4** Ti trucchi per la festa di stasera?
**5** Ci torniamo a casa domani.
**6** Lui si va al concerto rock.
**7** A che ora ti addormenti di solito?
**8** Mi sveglio Marco alle 6.00.
**9** Viaggiano ogni estate insieme.
**10** È carino ma non si pettina mai.
**11** Luca si vive a Venezia da 2 anni.

E
T
M
D
R
C
I
P
I
A
O

Parola misteriosa: TIMIDA
TIMORII

**7** *Dividetevi in due squadre. A turno scegliete un verbo e dite se può diventare riflessivo. Poi inventate una frase con quel verbo. Prima di dare la risposta confrontatevi con i compagni di squadra e alternate sempre il turno di parola. Ogni frase giusta vale un punto.*

• • • • a gruppi

Guida per l'insegnante
Vai a pag. 139

| | | | | |
|---|---|---|---|---|
| mettere | vestire | andare | vivere | tornare |
| alzare | svegliare | pettinare | partire | restare |
| venire | lavare | sfiorare | camminare | viaggiare |
| guardare | addormentare | diventare | fare | truccare |

**8a** *Nel testo della canzone sono presenti degli aggettivi possessivi. Quali? Copiali qui sotto completi del nome a cui si riferiscono.*

• individuale

_____

**8b** *Leggete il dialogo tra il cantante e la ragazza. Poi completatelo con gli aggettivi possessivi e, se necessario, gli articoli.*

• • a coppie

Cantante: Ciao, questa è _la mia_ canzone per te!
Ragazza: Grazie, ma perché hai scritto una canzone per me?
Cantante: Perché ti vedo ogni giorno dalla finestra.
Ragazza: Ah, _la tua_ finestra? Ma allora mi spii?
Cantante: Mi piaci molto, _i tuoi_ occhi grandi sono bellissimi.
Ragazza: _la mia_ madre mi dice sempre di truccarmi ma io non voglio.
Cantante: Non ti devi vergognare, sei bellissima così!
Ragazza: Scusa, ma è meglio se _le nostre_ strade si dividono.
Cantante: Sei sicura? Va bene, allora torno da Marco e Luca: _i miei_ amici.
Ragazza: Sì, è meglio così. Ciao!

# albachiara

**8c** *Mettete in scena il dialogo del punto* **7b**. *Ricordate che il cantante è estroverso e non si vergogna, mentre la ragazza è timida e silenziosa.*

**9a** *Scrivi gli avverbi della lista sotto la domanda a cui rispondono.*

| mai | domani | qualche volta | presto | tardi |
| sempre | stasera | raramente | oggi | spesso |

| quanto spesso? | quando? |
| --- | --- |
| mai<br>qualche volta<br>sempre<br>raramente<br>spesso | domani<br>presto<br>domani<br>tardi<br>stasera |

**9b** *Confrontate le vostre risposte. Per ogni colonna scegliete due avverbi e scrivete quattro frasi.*

**1** Raramente bevo soda
**2** Stasera andiamo al gioco di futbol
**3** Qualche volta faccio la colazione
**4** Domani ritorno a casa

**10** *Nel testo della canzone ci sono due espressioni con i verbi "fare rumore" e "fare pensieri strani". Leggi tutte le espressioni con il verbo "fare" e traducile nella tua lingua.*

Guida per l'insegnante
Vai a pag. 139

| IN ITALIANO | NELLA TUA LINGUA |
| --- | --- |
| **1** Fare rumore | **1** make lots of noise |
| **2** Fare pensieri strani | **2** think strange thoughts |
| **3** Fare un giro | **3** take a ride in car or vespa |
| **4** Fare colazione | **4** have breakfast |
| **5** Fare un bagno | **5** take a bath |
| **6** Fare due passi | **6** go for a walk |
| **7** Fare un pisolino | **7** take a nap |
| **8** Fare la spesa | **8** go shopping |

motorized —

**4**

# albachiara

**11** •• a coppie

*Nella canzone ci sono dei paragoni (ad esempio "sei chiara come un'alba" e "sei
fresca come l'aria"). Completate le frasi: scrivete almeno tre parole per ogni riga,
come nell'esempio.*

Es. *sei buona come… il pane, la pizza, mia madre.*

Sei fresca come… <u>la notte, una bevanda, il gelato</u>
Sei chiara come… <u>l'acqua, il cristallo, un diamante</u>
Sei rossa come… <u>una rossa, un pomodoro, una fragola</u>
Sei sola come… <u>la luna, un criceto, un squalo bianco</u>
Sei scortese come… <u>un procione, gli gabbiani,</u>
Sei sporca come… <u>un maiale, la terra, la spazzatura</u>

**12a** •• a coppie

*Immaginate di essere il cantante e di scrivere la canzone per una ragazza ribelle.
Leggete i versi della canzone e <u>sottolineate</u> le parole che dovete cambiare.*

Respiri piano per non far rumore,
ti addormenti di sera e ti risvegli col sole;
sei chiara come un'alba,
sei fresca come l'aria.

Diventi rossa se qualcuno ti guarda
e sei fantastica quando sei assorta
nei tuoi problemi, nei tuoi pensieri.

Ti vesti svogliatamente,
non metti mai niente che possa attirare
attenzione,
un particolare, per farti guardare.

E con la faccia pulita cammini per strada,
mangiando una mela, coi libri di scuola,
ti piace studiare,
non te ne devi vergognare.

**4**

**12b** •••• a gruppi

*Confrontate le parole che avete sottolineato e riscrivete la canzone per la ragazza
ribelle.*

Guida per
l'insegnante
Vai a pag. 139

**13a** *Leggi il testo e inventa un titolo.* **• individuale**

È il 1979 e Vasco è a casa a preparare gli esami dell'università. Dalla finestra vede sempre una ragazzina di circa 14 anni arrivare con l'autobus e decide di dedicarle una canzone. Qualche anno più tardi le parla e le dice che *Albachiara* racconta proprio di lei. Lei prima pensa ad uno scherzo, poi si imbarazza e scappa via. Da questo episodio, Vasco decide di scrivere un'altra canzone dal titolo *Una canzone per te*, in cui parla della stessa ragazza.

In questa canzone, infatti, c'è un verso che recita così: "Lei è un'Albachiara e tu sei già troppo grande…".

Anche *Una canzone per te* è diventata un grandissimo successo di Vasco Rossi. Il cantante la suona dal vivo in moltissimi concerti spesso proprio prima di *Albachiara*.

**13b** *Leggete i vostri titoli e motivate la scelta. Votate quello che vi sembra migliore.* **•••• in plenum**

**4**

**14a** *Che cosa si sono detti secondo voi Vasco e la ragazza? Scrivete nello spazio degli* **•• a coppie**
*appunti a pagina 41 il dialogo che c'è stato tra di loro immaginando che si diano del Lei.*
*Se volete potete aiutarvi con il dialogo dell'attività* **8b**.

**14b** *Leggete il vostro dialogo ai compagni.* **•••• in plenum**

## unità 4.7

| | | | |
|---|---|---|---|
| mettere | vestire | andare | vivere |
| tornare | alzare | svegliare | pettinare |
| partire | restare | venire | lavare |
| sfiorare | camminare | viaggiare | guardare |
| addormentare | diventare | fare | truccare |

# livello A2

# Nel blu dipinto di blu

testo e musica **Domenico Modugno e Franco Migliacci**
cantante **Domenico Modugno** | anno **1958**

A2

**Domenico Modugno** nasce il 9 gennaio 1928 a Polignano a Mare (Bari). A 19 anni scappa di casa per andare a Torino dove fa il gommista e il cameriere. Dopo il servizio militare va a Roma dove studia recitazione ed esordisce come attore nel 1951.
Negli anni Cinquanta compone molte canzoni in dialetto pugliese e napoletano. Il successo, italiano e mondiale, arriva con la vittoria al Festival di Sanremo del 1958 con *Nel blu dipinto di blu*. Vincerà il Festival altre tre volte (1959, 1962 e 1966). È uno dei tre cantanti italiani, insieme a Renato Carosone e Andrea Bocelli, ad aver venduto dischi negli Stati Uniti senza cantarli in inglese.
Nel 1984 viene colpito da un ictus ed è costretto ad abbandonare l'attività artistica. Nel 1986 inizia a dedicarsi alla vita politica ed è eletto deputato con il Partito Radicale. Domenico Modugno muore il 6 agosto 1994 a Lampedusa, nella sua casa, di fronte al mare.

Fonit SPM 42

Nel blu, dipinto di blu
Vecchio frak

modugno

## la canzone
È il 1958 quando Domenico Modugno presenta al Festival di Sanremo quella che è destinata a diventare la canzone italiana più famosa nel mondo: *Nel blu dipinto di blu*. Per la prima volta davanti al microfono non c'è solo un cantante ma un vero e proprio interprete, che sul famoso ritornello mima la canzone: allarga le braccia e sembra volare sul palco. Una vera e propria rivoluzione per la musica e la televisione italiana. Modugno, grazie a questo successo, si è guadagnato il soprannome di *Mr. Volare*.

| Livello | A2 |
|---|---|
| Contenuti grammaticali e lessicali | • Forme e uso del presente e dell'imperfetto indicativo<br>• Uso del passato prossimo e dell'imperfetto<br>• Alcuni avverbi di luogo<br>• I colori |
| Contenuti comunicativi | • Raccontare un sogno o un incubo<br>• Parlare dei propri ricordi<br>• Descrivere al passato |
| Obiettivi culturali | • Sapere come nasce *Nel blu dipinto di blu* |

5

# nel blu dipinto di blu

**1a** *Datevi un numero (1 e 2) e scrivete tre parole che vi vengono in mente pensando
a questi colori. Il numero 1 sceglie e scrive una parola nello spazio 1, il numero 2 fa lo stesso nello
spazio 2. Insieme scegliete una terza parola diversa e scrivetela nello spazio 1+2.*

1 _____ 2 _____ 1+2 _____

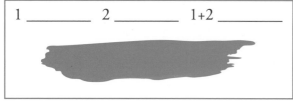

1 _____ 2 _____ 1+2 _____

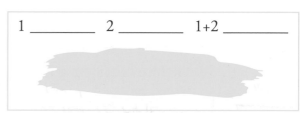

1 _____ 2 _____ 1+2 _____

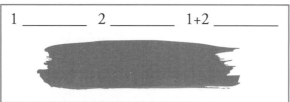

1 _____ 2 _____ 1+2 _____

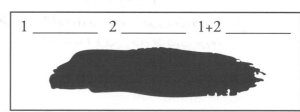

**1b** *Confrontate le vostre risposte con i compagni.*

**2a** *Pensa a tutti i colori che conosci tranne il bianco e il nero. Scrivi un colore per il
sogno e un colore per l'incubo e spiega perché li hai scelti.*

| | colora o scrivi | spiega perché |
|---|---|---|
| sogno | | _____<br>_____<br>_____<br>_____ |
| incubo | | _____<br>_____<br>_____<br>_____ |

**2b** *Confrontate le vostre risposte con i compagni.*

**3a** *Tra tutti i verbi che conosci, quali associ al "sogno" e quali all'"incubo"?
Completa la tabella.*

| sogno | incubo |
|---|---|
| 1 _____ | 1 _____ |
| 2 _____ | 2 _____ |
| 3 _____ | 3 _____ |
| 4 _____ | 4 _____ |
| 5 _____ | 5 _____ |

**3b** *Confrontate le risposte con i compagni motivando le vostre scelte.*

5

# nel blu dipinto di blu

**4a** ▶️ *Ascolta la canzone e guarda tre quadri di famosi pittori. Secondo te, Migliacci, uno degli autori della canzone, a quale quadro si è ispirato? Perché?*

• individuale

La notte stellata (De sterrennacht)
Van Gogh - 1898

Blu di cielo (Bleu de ciel)
Kandinskij - 1940

5

Le coq rouge dans la nuit - Chagall - 1957

**4b** *Confrontate le risposte con i compagni motivando le vostre scelte.*

• • • • • a gruppi

# nel blu dipinto di blu

**5** *Riascolta la canzone, osserva i disegni e scrivi nel quadro blu le parole relative ai* • individuale *disegni che senti. Attenzione, non tutti i disegni rappresentano parole presenti nel testo della canzone. Scrivi come vuoi le parole all'interno del quadro.*

# nel blu dipinto di blu

**6a** *Ascolta la canzone e completala con i verbi mancanti.*

Penso che un sogno così non ritorni mai più
mi _____ le mani
e la faccia di blu
poi d'improvviso venivo dal vento rapito
e _____ a volare
nel cielo infinito

Volare oh, oh
cantare oh, oh
nel blu dipinto di blu
felice di stare lassù
e volavo, _____ felice
più in alto del sole
ed ancora più su
mentre il mondo pian piano
_____ lontano laggiù
una musica dolce _____
soltanto per me

Volare oh, oh
cantare oh, oh
nel blu dipinto di blu
felice di stare lassù
ma tutti i sogni nell'alba
_____ perché
quando tramonta la luna li porta con sé
ma io _____ a sognare
negli occhi tuoi belli
che sono blu come un cielo trapunto di stelle

Volare oh, oh
cantare oh, oh
nel blu degli occhi tuoi blu
felice di stare quaggiù
e _____ a volare felice
più in alto del sole
ed ancora più su
mentre il mondo pian piano scompare
negli occhi tuoi blu
la tua voce _____ una musica
dolce che suona per me

Volare oh, oh
cantare oh, oh
nel blu degli occhi tuoi blu
felice di stare quaggiù
nel blu degli occhi tuoi blu
felice di stare quaggiù
con te.

Domenico Modugno | **Nel blu dipinto di blu**
Testo e musica: Domenico Modugno e Franco Migliacci
Fonit Cetra 1958

**6b** *Confrontate le vostre risposte. Se neccessario, ascoltate nuovamente la canzone.*

5

# nel blu dipinto di blu

**7a** *Leggi le frasi e indica se sono corrette (✓) o scorrette (✗). Riscrivi le frasi scorrette, come nell'esempio.*

| Frase | | Frase corretta |
|---|---|---|
| **1** Oggi dipingevo tutto il giorno. | ✗ | **1** *Oggi dipingo tutto il giorno.* *Oggi ho dipinto tutto il giorno.* |
| **2** Mia sorella, da piccola, volava sempre con la fantasia. | ✓ | **2** *Da piccola mia sorella, sempre volava con la fantasia* |
| **3** Mentre voi suonate, io ascoltavo emozionato. | ✗ | **3** *Mentre voi suonate, io ascolto emozionato* |
| **4** Chiamateci dopo le due: questo pomeriggio eravamo a casa. | ✗ | **4** *chiameti dopo le due questo* |
| **5** Adesso faccio colazione e poi incomincio a studiare. | ✓ | **5** *Prima di comincar a studiare, faccio colazione* |
| **6** Ogni mattina apro gli occhi e i sogni svanivano. | ✗ | **6** *ogni mattina apro (aprivo) gli occhi e i svanivano* |
| **7** Quando arrivava il momento di pulire la camera, mio fratello spariva. | ✓ | **7** |
| **8** Loro uscivano ogni sera e noi continuiamo a lavorare sulla canzone. | ✗ | **8** *Loro uscivano ogni sera e noi continuavamo a lavorare* |

**7b** *Confrontate le vostre risposte. Quali frasi sono corrette sia al presente che all'imperfetto indicativo? Fate una crocetta sulle frasi con questa caratteristica.*

☐ frase 2   ☐ frase 3   ☐ frase 4   ☐ frase 5   ☐ frase 6   ☐ frase 7   ☐ frase 8

**8** *Leggi le frasi e riscrivile, come nell'esempio.*

Es. Dipingevi <u>a me</u> le mani e la faccia di blu.   →   __Mi__ dipingevi le mani e la faccia di blu.

**1** Dipingevi <u>a Luigi</u> le mani e la faccia di blu   →   _____ dipingevi le mani e la faccia di blu.

**2** Suonava <u>a Maria</u> una serenata.   →   _____ suonava una serenata.

**3** Ogni sera raccontavano <u>a noi</u> una storia diversa   →   Ogni sera _____ raccontavano una storia diversa.

**4** Cantavate <u>a Luigi e Maria</u> le vostre nuove canzoni.   →   _____ cantavate le vostre nuove canzoni.

**5** Facevano <u>a te</u> molti regali.   →   _____ facevano molti regali.

**6** Diceva <u>a voi</u> molti segreti.   →   _____ diceva molti segreti.

# nel blu dipinto di blu

**9a** *Nel testo della canzone ci sono cinque parole e espressioni che indicano la posizione* *del cantante nello spazio. Due le abbiamo scritte noi, le altre tre scrivile tu.*

**1** _____; **2** Più su; **3** Più in alto; **4** _____; **5** _____;

**9b** *Confrontate le risposte e scrivete nei due disegni le tre parole che avete trovato.*

**9c** *Quale parola scrivereste nello spazio del disegno* **c**? *Prima di rispondere riguardate i disegni* **a** *e* **b**.

**5**

**9d** *Completate la regola inserendo le parole mancanti e cancellando l'opzione scorretta.*

Le parole nelle immagini **a** (_____) e **c** (_____)
indicano una posizione nello spazio *vicina / lontana* rispetto a chi parla.

Le parole nell'immagine **b** (_____; _____) indicano
una posizione nello spazio *vicina / lontana* rispetto a chi parla.

# nel blu dipinto di blu

**10** *Guardate i quattro sogni e scrivete le didascalie. Per ogni descrizione scegliete un verbo tra quelli qui sotto e scrivete una frase usando l'imperfetto.*

•• a coppie

| suonare | volare | cadere | colorare |
|---------|--------|--------|----------|
| viaggiare | dipingere | cantare | piovere |

Ho sognato che… _____
_____

Ho sognato che… _____
_____

Ho sognato che… _____
_____

Ho sognato che… _____
_____

**11** *Completa la prima parte dei sogni della colonna A con la seconda parte della colonna B. Poi trasforma i verbi tra parentesi all'imperfetto.*

• individuale

| A° | B |
|----|---|
| **1** ☐ Dalla luna io _____ (*vedere*) | **a** mentre tu ti _____ (*allontanare*). |
| **2** ☐ Insieme noi _____ (*salire*) | **b** ma _____ (*avere*) solo il colore blu. |
| **3** ☐ Continuavo a parlarti | **c** le note della più bella canzone italiana. |
| **4** ☐ Dipingevi un quadro | **d** laggiù la Terra sparire. |
| **5** ☐ Noi _____ (*incominciare*) a scrivere | **e** ancora più su sopra le nuvole. |

5

# nel blu dipinto di blu

**12a** *Date un nome al vostro gruppo. Decidete un colore e descrivete un possibile sogno o un incubo collegato al colore che avete scelto. Usate il nome del colore nel testo. Per raccontare il vostro sogno/incubo rispondete alle domande qui sotto.*

•• •• •• a gruppi

Guida per l'insegnante
Vai a pag. 139

**1** Dove eravate?
**2** Con chi eravate?
**3** Che cosa facevate?

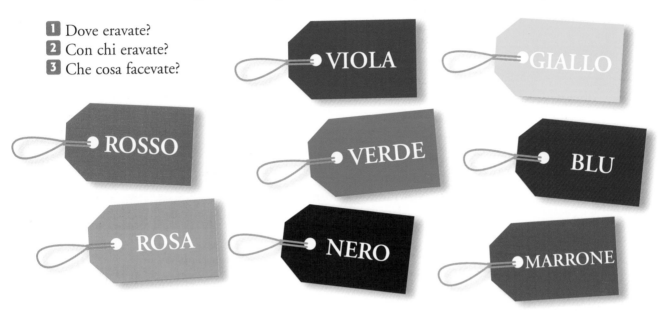

**12b** *A turno, presentate il vostro sogno/incubo ai compagni. Ciascun gruppo completa la tabella dopo ogni l'ascolto.*

•••• in plenum

| | Nome del gruppo | Sogno o incubo | Finale |
|---|---|---|---|
| 1 | | | |
| 2 | | | |
| 3 | | | |
| 4 | | | |
| 5 | | | |

**13** *Immagina di scrivere una canzone che parla di un tuo sogno. Scrivi il titolo e descrivi con tre brevi frasi quello che facevi. Usa l'imperfetto.*

• individuale

Titolo _____

|  |  |  |
|---|---|---|
|  |  |  |

**14a** *Leggi il testo che parla di come a Domenico e Franco è venuta l'idea della canzone Nel blu dipinto di blu.*

`• individuale`

***Nel blu dipinto di blu*** è una canzone scritta da Domenico Modugno e Franco Migliacci nel 1957. Franco era amico di Domenico, cantava e disegnava fumetti per sopravvivere.
L'idea della canzone viene a Franco un pomeriggio d'estate dopo aver guardato il quadro *Le coq rouge dans la nuit* di Chagall. Franco fa leggere la canzone all'amico e Domenico urla contento: "Ma questo sarà un successo!".
I due cominciano a lavorare insieme alla canzone. Una mattina, mentre Modugno è a casa, un forte vento apre con forza la

Domenico Modugno canta *Nel blu dipinto di blu* al Festival di Sanremo 1958

sua finestra; lui si alza, la chiude, guarda fuori e grida: "Volare!". Da qui nasce il famoso ritornello della canzone.
La canzone ha avuto subito grande successo ed è stata ricantata da numerosi artisti italiani e internazionali. I più famosi sono stati Barry White, Paul McCartney, Dean Martin, Gipsy Kings, Eros Ramazzotti, Laura Pausini e Mina.
Nel 1985, in Italia, si organizza un concerto dal titolo "Musicaitalia per l'Etiopia": moltissimi artisti italiani cantano un parte della canzone (tra questi anche Fabrizio De André, Vasco Rossi, Lucio Dalla e Gianna Nannini).

**14b** *Fate finta di essere gli intervistatori dei due autori. Leggete le risposte di Domenico e Franco e scrivete le relative domande. Poi scrivete voi una domanda per loro.*

`• • a coppie`

**1** _____ ?

Siamo amici da molto tempo.

**2** _____ ?

Il quadro è *Le coq rouge dans la nuit* di Chagall.

**3** _____ ?

Grazie ad un forte vento che apre la finestra di Domenico.

**4** _____ ?

**14c** *Confrontate le vostre domande con i compagni.*

`• • • • in plenum`

5

# Con te partirò

testo **Lucio Quarantottoi**  |  musica **Francesco Sartori**
cantante **Andrea Bocelli**  |  anno **1995**

**A2**

**Andrea Bocelli** è probabilmente la voce italiana più amata nel mondo degli ultimi quindici anni. Nato il 22 settembre 1958 a Lajatico (Pisa), cresce nella fattoria di famiglia e comincia fin da bambino a studiare diversi strumenti musicali. Nel 1992 vince un provino per cantare il brano *Miserere* in duetto con il già famoso Zucchero. La sua popolarità cresce rapidamente con la vittoria al Festival di Sanremo (con *Il mare calmo della sera*) e soprattutto con l'uscita del brano *Con te partirò*, che lo trasforma in una star di livello mondiale.

Da allora alterna pubblicazioni di materiale classico e operistico a album pop in cui spesso duetta con i maggiori interpreti della scena musicale italiana e internazionale.

Nel 2018 il suo album *Sì* conquista il primo posto della classifica degli USA e della Gran Bretagna. È un record: mai nessun album italiano era arrivato al primo posto negli Stati Uniti.

## la canzone

"La prima volta che sono andato al Festival mi sono divertito. L'anno dopo, invece, non mi sono divertito per niente. Non solo perché non sono arrivato tra i primi tre: avevo altri pensieri, mia moglie stava per partorire. Del resto, la canzone non era di quelle che sfondano subito". Così Bocelli racconta l'esordio, a Sanremo 1995, di *Con te partirò*. In effetti la canzone ci mette due anni per diventare un successo in Italia nonostante fosse già da tempo una delle canzoni italiane più amate nel mondo.

| Livello | A2 |
|---|---|
| Contenuti grammaticali e lessicali | • Le preposizioni *con*, *su*, *per* <br> • I pronomi relativi *che* e *cui* <br> • Il lessico del viaggio (luoghi, mezzi di trasporto) <br> • Il lessico del carattere |
| Contenuti comunicativi | • Fare ipotesi <br> • Organizzare un viaggio <br> • Parlare del carattere e dei gusti di una persona |
| Obiettivi culturali | • Sapere come nasce la musica di *Con te partirò* |

**6**

# con te partirò

• individuale

**1a** ▶ *La prima frase della canzone è "Quando sono solo". Ascolta i primi 20 secondi dell'intro musicale e immagina che cosa fa il cantante quando è solo.*

•••• in plenum

**1b** *Confrontate le vostre risposte con i compagni e scrivete le tre attività più scelte.*

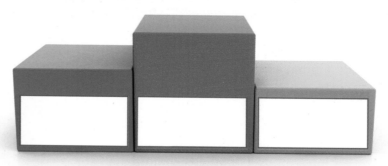

•• a coppie

**2a** *Completate il cruciverba. Poi scoprite cosa fa il cantante quando è solo (1 verticale).*

Orizzontale

1. Guarda l'immagine **a**.
2. Mi piace _____ nuove persone.
3. Guarda l'immagine **b**.
4. In estate vado al _____.
5. Riordina le lettere: UELC.
6. Verbo simile a "guardare".
7. Vorrei _____ per l'India.
8. Parola simile a "Stati".
9. Grandi mezzi di trasporto.
10. Guarda l'immagine **c**.

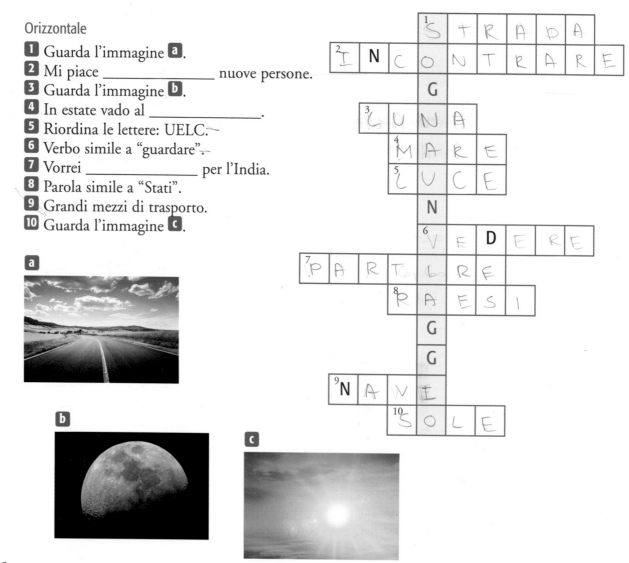

**a**

**b**

**c**

•••• in plenum

**2b** *Confrontate le vostre risposte con i compagni.*

**6**

**3a** ▶ *Ascolta la canzone e indica le informazioni presenti nel testo.*

**a** prende l'aereo

**b** si muove in nave

**c** viaggia con un gruppo di amici

**d** attraversa le montagne

**e** guarda da solo l'orizzonte

**f** viaggia con una donna

**3b** *Confrontate le vostre risposte e riascoltate la canzone. Quale informazione sentite* *per prima, quale per seconda e quale per ultima? Mettetele in ordine.*

Informazione 1

Informazione 2

Informazione 3

# con te partirò

**4a** *Guarda le immagini e ascolta la canzone. Scegli tra le immagini quelle che rappresentano le due strofe e il ritornello.*

• individuale

## Prima strofa

## Ritornello

## Seconda strofa

**4b** *Verificate le vostre risposte.*

•• a coppie

# con te partirò

**5a** *Ascolta la canzone. Trova e correggi le sette parole sbagliate.*
*Attenzione: le parole da correggere si possono ripetere nel testo.*

Quando sono solo    [non]
sogno all'orizzonte
e mancan le parole.
Sì lo so che non c'è luce
in una stanza
quando manca il pane,    [sole]
se non ci sei tu con me,
con me.
Su le finestre
mostra a tutti il mio amore    [cuore]
che hai acceso,
chiudi dentro me
la notte che    [luce]
hai incontrato per caso.    [strada]

Con te partirò.
momenti che non ho mai
veduto e vissuto con te,
adesso sì li vivrò.
Con te partirò
su navi per laghi
che, io lo so,
no, no, non esistono più,
con te io li vivrò.

Quando sei lontana
sogno all'orizzonte
e mancan le persone,    [parole]
e io sì lo so che sei con me,
tu mia luna tu sei qui con me,
mio sole tu sei qui con me,
con me, con me, con me.

Con te partirò.
momenti che non ho mai    [paesi]
veduto e vissuto con te,
adesso sì li vivrò.
Con te partirò
su navi per laghi
che, io lo so,
no, no, non esistono più,
con te io li rivivrò.

Con te partirò
su navi per laghi
che, io lo so,
no, no, non esistono più,
con te io li rivivrò.
Con te partirò.
Io con te.

Andrea Bocelli | **Con te partirò**
Testo: Lucio Quarantotto – Musica: Francesco Sartori
Sugar 1995

**5b** *Confrontate le vostre risposte.*

6

**5c** *Risolvete i sei indovinelli. Le risposte sono tra le parole che avete corretto al* •• •••a gruppi
*punto* **5a**. *Attenzione: se la risposta non ha senso significa che avete sbagliato qualcosa durante la correzione del testo della canzone.*

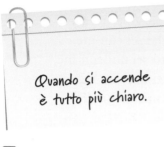

Quando si accende è tutto più chiaro.

**1** luce

Ha lo stesso significato di "Nazione".

**2** paese

Ti brucia in estate.

**3** sole

Manca quando non sai cosa dire.

**4** parola

Ci vai se non ti piace la montagna.

**5** mare

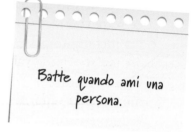

Batte quando ami una persona.

**6** cuore

**5d** *Confrontate le vostre risposte.* •••• in plenum

**6a** *Leggi la frase e associa alle preposizioni in bianco la parola corretta.* • individuale

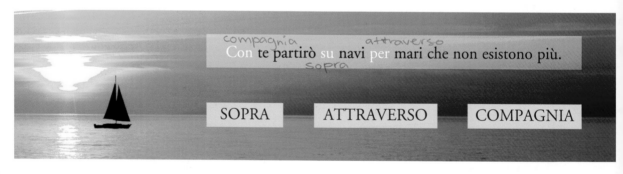

compagnia       attraverso
Con te partirò su navi per mari che non esistono più.
        sopra

SOPRA        ATTRAVERSO        COMPAGNIA

**6b** *Confrontate le vostre risposte.* •• a coppie

**6c** *Completate le frasi con la preposizione corretta. Scegliete tra* **con**, **su** *e* **per**. • individuale

**1** Vado in montagna tutte le estati con mia sorella.

**2** Mi piace molto camminare per la città.

**3** La cartina geografica è su quel tavolo.

**4** Passiamo per il parco, che è più bello!

**5** Non vado mai in vacanza con il mio cane.

**6** Sono salite poche persone su questa montagna.

# con te partirò

**7** *Leggi il testo della canzone e <u>sottolinea</u> con un colore tutti i pronomi relativi. Copia i quattro pronomi relativi che hai individuato con il verbo che li segue e le quattro parole a cui si riferiscono.*

• individuale

### Pronomi relativi

**1** _____ **2** _____ **3** _____ **4** _____

### A quali parole si riferiscono?

**a** _____ **b** _____ **c** _____ **d** _____

**8** *Riscrivi le frasi utilizzando il pronome relativo* **che** *o* **cui**.

• individuale

**1** Abbiamo appena fatto un viaggio di gruppo. È stato un viaggio avventuroso e molto divertente!

_____

**2** Ho spedito la valigia. Nella valigia c'è anche il mio computer.

_____

**3** Domani vado all'agenzia di viaggi. L'agenzia di viaggi è vicina a casa mia.

_____

**4** Questa città per me è importantissima. In questa città ho vissuto per molto tempo.

_____

**5** Mia nonna purtroppo non può più viaggiare. Con mia nonna ho fatto il viaggio più bello della mia vita.

_____

**9a** *Nella canzone il cantante parla di viaggi in mare in nave. Quali altri mezzi di trasporto conosci? Dove si può viaggiare con questi mezzi? Segui l'esempio.*

• individuale

| Con quale mezzo? | | Dove? |
|---|---|---|
| **1** In nave / Con la nave | → | In mare |
| **2** _____ | → | _____ |
| **3** _____ | → | _____ |
| **4** _____ | → | _____ |
| **5** _____ | → | _____ |
| **6** _____ | → | _____ |

**9b** *Confrontate le vostre risposte e integrate la lista del punto* **9a** *con tutti i mezzi di trasporto e luoghi che avete trovato insieme.*

•• ••• a gruppi

6

**10a** *Guarda le foto di alcuni strani mezzi di trasporto. Quale sceglieresti per un viaggio? Perché lo sceglieresti? Lo useresti per andare dove?*

`• individuale`

Treno di bambù

Elefante

Habal Habal

Teleferica

Pullman anfibio

Mongolfiera

| Mezzo: | Dove: |
|---|---|
| Perché: | |

Guida per l'insegnante
Vai a pag. 140

**10b** *Confrontate le vostre risposte con i compagni e scrivete il mezzo di trasporto più e meno scelto.*

`•••• in plenum`

| Mezzo più scelto: | Mezzo meno scelto: |
|---|---|
| | |

**11a** *Tirate un dado per scegliere una foto nella prossima pagina. Leggete l'identikit della persona e immaginate il viaggio perfetto per lui o lei, rispondendo alle domande della scheda.*

`•• a coppie`

| Il viaggio perfetto | |
|---|---|
| Dove può andare? | |
| Con chi? | |
| Con quale mezzo? | |
| Per quanto tempo? | |

# con te partirò

Carattere: pignolo, calmo, solitario.

Ama: studiare, la tranquillità, andare a mostre e musei.

Odia: i luoghi molto affollati, mangiare etnico, uscire la sera fino a tardi.

Carattere: giocosa, solare, attiva.

Ama: stare all'aria aperta, fare nuove amicizie, nuotare.

Odia: giocare da sola, camminare in montagna, fare i compiti se fuori c'è il sole.

Carattere: estroversa, avventurosa, spericolata.

Ama: gli sport estremi, l'inverno e la neve, svegliarsi presto.

Odia: i rumori della città, il fumo, fare sport in luoghi chiusi.

Carattere: creativo, socievole, gioioso.

Ama: dipingere, vedere città nuove, mangiare bene.

Odia: la natura, la musica rock, viaggiare in gruppo.

Carattere: introversa, silenziosa, riflessiva.

Ama: correre, andare in bicicletta, gli animali.

Odia: mangiare male, dormire scomoda, fare viaggi lunghi.

Carattere: tranquillo, equilibrato, pigro.

Ama: fare cose rilassanti, visitare luoghi nuovi la mattina, andare a letto presto.

Odia: la confusione, le città moderne, gli hotel di lusso.

## 11b

*Condividete le vostre proposte di viaggio con i compagni. Mentre ascoltate la loro proposta, provate a ricostruire l'identikit del viaggiatore.*

• • • • a gruppi

Guida per l'insegnante
Vai a pag. 140

| Carattere | |
|---|---|
| Ama | |
| Odia | |

# con te partirò

**12a** *Abbinate le domande dell'intervista alle risposte di Francesco Sartori, autore della musica di* **Con te partirò***.*

`• • a coppie`

> **a** Da che cosa è stato ispirato per comporre la musica della canzone *Con te partirò*?
> **b** Secondo te, qual è il segreto per un incontro perfetto di musica e parole?
> **c** Quale messaggio vuole comunicare la musica di *Con te partirò*?

**1** _____

Quando ho scritto *Con te partirò* volevo trovare una melodia "circolare", come un abbraccio. È una musica che vuole unire le diversità delle persone per metterle in comunicazione fra loro. Una comunicazione in cui ognuno senta, nella sua diversità, di appartenere all'universalità della vita e della natura. Questa idea poi troverà uno sviluppo ulteriore nella canzone *Canto della Terra*, anche questa cantata da Andrea Bocelli.

**2** _____

Dalla nascita delle mie tre meravigliose figlie Carolina, Emma e Celeste. Loro sono state il mio primo vero viaggio verso la vita e **Con Te Partirò** ne è l'espressione più evidente. Nelle mie canzoni in generale, la mia creatività nasce spesso dal "viaggio" e dalla "scoperta" diretta di luoghi, persone, volti, fatti. In questa esperienza immagazzino immagini, come fossero fotografie mentali e quando torno a casa, le metto in musica. Il viaggio, per me, è un viaggio verso l'esistenza: salire "su navi", andare "per mari" e scoprire cose nuove dentro e fuori di noi è la sintesi perfetta che questa canzone esprime con parole e musica.

**3** _____

Lucio Quarantotto, l'autore che ha scritto il testo di **Con te Partirò**, è stato il partner artistico che meglio ha saputo interpretare quello che la mia musica voleva esprimere. Non avevamo bisogno di parlarci molto: io gli presentavo le musiche e lui trovava le parole perfette. Entrambi sentivamo il bisogno di esprimere i concetti e le idee in modo universale perché tutti potessero capire.

**12b** *Immaginate di essere giornalisti e di poter fare una sola domanda al maestro Sartori sulla canzone* **Con te partirò***.*
*Quale domanda fareste? Scrivetela nello spazio degli appunti a pagina 85.*

`• • a coppie`

**12c** *Confrontate le domande con i compagni. Poi scegliete una sola domanda tra tutte, la più originale e interessante. Infine create un post sulla pagina Facebook del prof. Caon (www.facebook.com/FabioCaonVenice/) e pubblicatela, vi risponderà direttamente il maestro Sartori!*

`• • • • in plenum`

**6**

# L'italiano

testo e musica **Cristiano Minellono e Toto Cutugno**
cantante **Toto Cutugno** | anno **1983**

A2

**Toto Cutugno** è nato a Fosdinovo in provincia di Massa-Carrara il 7 luglio 1943.
Ha partecipato a quindici edizioni del Festival di Sanremo (record che detiene insieme a Milva e Peppino di Capri), arrivando per ben sei volte secondo e vincendo nel 1980 con il brano *Solo noi*.
Gli anni Ottanta rappresentano il periodo più felice della carriera di Cutugno, che si impone anche come autore di molti brani di successo di Adriano Celentano ma anche per Domenico Modugno, Miguel Bosé, i Ricchi e Poveri e molti altri.

## la canzone

*L'italiano*, una delle canzoni italiane più famose al mondo, nasce in un ristorante durante un tour in Canada. Cutugno prende una chitarra e improvvisa il famoso ritornello. Capisce subito che può essere un successo e scrive il motivo musicale su un pezzo di carta. A partire da quelle poche note costruisce l'intera canzone pensando di proporla ad Adriano Celentano, che però rifiuta di cantarla. Viene quindi presentata dallo stesso Cutugno al Festival di Sanremo del 1983. Il brano arriva solo quinto ma stravince nella giuria popolare.

| Livello | A2 |
|---|---|
| Contenuti grammaticali e lessicali | • L'imperativo diretto e i pronomi<br>• Le espressioni con cibo e bevande |
| Contenuti comunicativi | • Scrivere una ricetta<br>• Descrivere una persona (fisicamente e caratterialmente)<br>• Parlare di stereotipi e luoghi comuni |
| Obiettivi culturali | • Sapere quali sono le cover internazionali della canzone |

7

**1a** *Guardate la tag cloud e scegliete tre parole (un'azione, una cosa e una* ●● **a coppie**
*caratteristica della persona) che associate agli italiani e spiegate perché.*

azione                          cosa                        caratteristica

_____            _____            _____

**1b** *Confrontate le vostre risposte con i compagni motivando le vostre scelte.* ●●●● **in plenum**

**2a** *Rileggete le parole che avete scelto. Secondo voi, quali sono legate a luoghi comuni* ●●●● **a gruppi**
*positivi sugli italiani? Quali invece sono legate a luoghi comuni negativi?*

                        **luogo comune:** opinione, non
                                                          necessariamente vera e spesso banale,
_____            _____            condivisa da tante persone.

**2b** *Confrontate le vostre risposte con i compagni motivando le vostre scelte.* ●●●● **in plenum**

**3a** *Nella canzone il cantante dice di essere "un italiano vero". Guardate i tre disegni e scegliete quello che, secondo voi, rappresenta meglio l'italiano "vero". Elencate le caratteristiche che vi hanno aiutato nella scelta*

• • a coppie

3

**3b** *Confrontate le vostre risposte con i compagni e motivate le vostre scelte.*

• • • • in plenum

**4a** ▶ *Ascolta la canzone. Quali parole senti sui luoghi comuni italiani? Scrivili nel riquadro.*

• individuale

**4b** *Confrontate le parole che avete sentito con i compagni.*

• • • • in plenum

**5a** *Leggete il testo della canzone e riordinate le sillabe per completare le frasi.* • individuale

Lasciatemi cantare
con la chitarra in mano
lasciatemi cantare
sono un italiano.
Buongiorno Italia
gli _____ ____ _____
(SPA - DEN - TI - AL - GHET - TE)
e un partigiano come Presidente
con l'autoradio sempre
nella mano destra
e un canarino sopra la finestra.
Buongiorno Italia
con i tuoi artisti
con troppa America sui manifesti
con le _____ ____ _____
(A - NI - CON - RE - CAN - MO - ZO )
con il cuore
con più donne sempre meno suore.
Buongiorno Italia
buongiorno Maria
con gli occhi pieni di malinconia
_____ _____
(O - GIOR - BUON - DI - NO)
lo sai che ci sono anch'io.
Lasciatemi cantare
con la chitarra in mano
lasciatemi cantare
una canzone piano piano.
Lasciatemi cantare
perché ne sono fiero
sono un italiano
un italiano vero.
Buongiorno Italia
che non si spaventa

e con la _____ ____ _____
(MA - CRE - BAR - BA - DA)
alla menta
con un vestito gessato sul blu
e la moviola la domenica in TV.
Buongiorno Italia
col _____ _____
(FÈ - TO - CAF - STRET - RI)
le calze nuove nel primo cassetto
con la bandiera in tintoria
e una 600 giù di carrozzeria.
Buongiorno Italia
buongiorno Maria
con gli occhi pieni di malinconia
_____ _____
(O - GIOR - BUON - DI - NO)
lo sai che ci sono anch'io.
Lasciatemi cantare
con la chitarra in mano
lasciatemi cantare
una canzone piano piano.
Lasciatemi cantare
perché ne sono fiero
sono un italiano
un italiano vero.
La la la la la la la la...
Lasciatemi cantare
con la chitarra in mano
lasciatemi cantare
una canzone piano piano.
Lasciatemi cantare
perché ne sono fiero
sono un italiano
un italiano vero.

Toto Cutugno | L'italiano
Testo e musica: Cristiano Minellono e Toto Cutugno
Carosello Records 1983

**5b** *Riascoltate la canzone e verificate le vostre ipotesi.* •••• in plenum

**6a** *Leggete i brevi testi e cercate nel testo della canzone le parole che mancano.*

**1**

Sandro Pertini è stato il settimo _____ della Repubblica Italiana, in carica dal 1978 al 1985. È conosciuto anche per la sua opposizione al regime fascista e per il suo passato di partigiano.

**2**

Dopo la Seconda Guerra Mondiale la cultura italiana è stata invasa dal mito americano. Infatti, sempre più _____, giornali e pubblicità di quel periodo presentavano lo stile di vita aperto e libero degli Stati Uniti.

**3** La _____ è uno strumento tecnologico usato nelle trasmissioni sportive per rivedere i bei momenti delle partite di calcio, come un bel gol. È stata introdotta nel 1967 nella trasmissione "La domenica sportiva".

**7**

**6b** *Confrontate le vostre risposte con i compagni.*

**7** *Nella canzone ci sono altre espressioni che raccontano l'Italia dell'inizio degli anni Ottanta. Abbina le espressioni al loro significato.*

**1** con l'autoradio sempre nella mano destra

**2** con più donne sempre meno suore

**3** bandiera in tintoria

**4** 600 giù di carrozzeria

**a** Negli anni Ottanta i valori morali e religiosi diventano meno rigidi.

**b** Negli anni Ottanta è uno status symbol presente in moltissime automobili. Si toglie dalla macchina e si porta con sé.

**c** Era un modello della Fiat molto popolare, simbolo dell'industria italiana. In questa canzone non è in buone condizioni.

**d** In quel periodo il patriottismo non era molto comune.

**8a** *Nel testo della canzone si parla di un cibo e una bevanda tipici italiani. Quali sono? Scriveteli nei riquadri e scambiatevi le informazioni che avete su come si preparano.*  `•• a coppie`

| cibo: | bevanda: |
|---|---|

**8b** *Come potete gustare altri cibi e bevande in Italia? Scopritelo associando ad ogni cibo o bevanda la definizione corretta.*  `•• a coppie`

| 1 | Pasta al sugo | a | cotta in acqua |
|---|---|---|---|
| 2 | Riso in bianco | b | cucinato sulla griglia |
| 3 | Carne al sangue | c | senza altri ingredienti |
| 4 | Carne lessa | d | con una salsa che si può fare con diversi ingredienti |
| 5 | Pesce ai ferri | e | senza bollicine |
| 6 | Vino fermo | f | cotta molto poco |

**8c** *Quali altri modi conoscete di gustare i cibi e le bevande del punto* **8a** *e* **8b**? *Scrivete tutte le parole che conoscete nei diversi spazi.*  `•• a coppie`

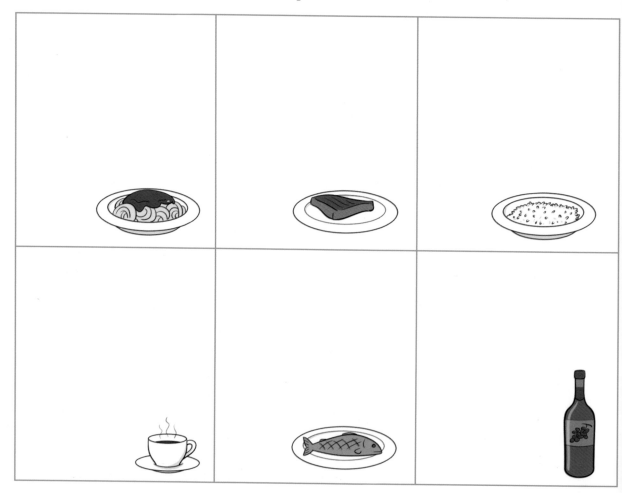

**8d** *Confrontate le vostre parole con i compagni. Insieme aggiornate le vostre liste.*  `•••• in plenum`

7

**9a** *Leggi la ricetta. Inserisci i verbi della lista all'imperativo informale e aggiungi il pronome diretto corretto, come nell'esempio.* **• individuale**

~~impastare~~   mescolare   lasciare   scolare   versare   cucinare

---

**Spaghetti al caffè ristretto con ricotta e pancetta | Ingredienti per 4 persone**

330 g di acqua
1 Kg di semola
1 tazza di caffè (ristretto)
150 g di ricotta

80 g di pancetta di maiale
q.b. di sale
q.b. di acqua di cottura

**Preparazione**
Prepara la pasta con la macchina impastatrice. _____*Impastala*_____ per circa 25 minuti unendo lentamente l'acqua e il caffè alla semola. Taglia la pancetta alla julienne e _____ per qualche minuto in padella fino a farla diventare croccante. Metti a cuocere gli spaghetti in acqua salata, _____ quando sono al dente, _____ in una padella e _____ con la ricotta e un po' di acqua di cottura. _____ sul fuoco per altri 2 minuti. Infine aggiungi la pancetta.

---

**9b** *Scegliete due prodotti tipici della cucina italiana e inventate una ricetta. Usate l'imperativo e i pronomi diretti.* **•• a coppie**

**7**

_____

Ingredienti per _____ persone

Preparazione:

**9c** *Ascoltate le ricette dei vostri compagni.* **•••• in plenum**

**10a** *Secondo voi, quali luoghi comuni sugli italiani scritti nella canzone sono ancora veri? Scriveteli qui sotto.*    • • a coppie

**10b** *Leggete i post-it e confermate le vostre ipotesi.*    • • a coppie

Gli **spaghetti al dente** sono ancora sulla tavola di tutti noi, anche se oggi si trovano anche altri tipi di pasta, ad esempio i *noodles* cinesi.

L'**autoradio** nella mano destra del cittadino italiano è sparita ma è comparso il telefonino e non c'è legge che lo possa tenere sotto controllo.

Cutugno parla del **canarino** sulla finestra, animale domestico che è stato ormai sostituito dal cane o dal gatto.

Il **gessato blu** continua ad essere indossato da uomini politici che devono affermare il loro ruolo. In Italia si usa ancora vestirsi firmati e non si può non ricordare che alcune tra le più grandi firme di moda sono un simbolo della nostra Azienda Italia.

Nella canzone si sente nominare l'**America**, molto presente sui manifesti italiani. Le scritte in inglese ci sono ancora e gli italiani continuano a usare questa lingua anche alla radio e alla TV.

Le **auto 600** giù di carrozzeria sono letteralmente sparite dalla circolazione perché l'Italia ne ha fatta di strada da allora. Adesso circola la nuova 500, interessante soprattutto nel prezzo.

**11a** *E se a cantare non fosse un uomo ma una donna? Come cambierebbe la canzone?* •• a coppie
*I luoghi comuni sarebbero gli stessi? Elencate i luoghi comuni che secondo voi*
*potrebbero cambiare, come nell'esempio.*

*Es.* con un vestito gessato sul blu → con un vestito lungo e colorato

**11b** *Confrontate le vostre ipotesi con i compagni.* •••• in plenum

**12a** *Raccogliete tutti i luoghi comuni che conoscete sugli italiani e sulle italiane e* •• •• a gruppi
*provate a creare un collage o un disegno per descriverli. Seguite le indicazioni*
*dell'insegnante.*

Guida per
l'insegnante
Vai a pag. 140

**7**

**12b** *Confrontate i vostri lavori con i compagni. Quali sono i luoghi comuni che* •• •• a gruppi
*riguardano le donne italiane? Quali quelli sugli uomini italiani? Quali su tutti*
*e due? Completate la tabella.*

| Luoghi comuni solo sulle donne italiane | Luoghi comuni solo sugli uomini italiani | Luoghi comuni su uomini e donne |
|---|---|---|
|  |  |  |

**12c** *Quali sono i luoghi comuni che riguardano le donne nel vostro paese?* •• •• a gruppi
*Quali quelli sugli uomini? Quali su tutti e due? Completate la tabella.*

| Luoghi comuni solo sugli uomini del vostro paese | Luoghi comuni solo sugli uomini del vostro paese | Luoghi comuni su uomini e donne |
|---|---|---|
|  |  |  |

**12d** *Confrontate le vostre risposte con i compagni.* •••• in plenum

## 13a

*Leggi il testo e segna sulla cartina i paesi in cui è stata fatta una cover della canzone di Cutugno scrivendo, per ogni paese segnato, la traduzione in italiano del titolo della cover, come nell'esempio.*

**• individuale**

Nello stesso anno in cui esce **L'italiano**, il 1983, il cantante finlandese Kari Tapio incide una cover nella sua lingua madre, intitolata *Olen suomalainen*, che significa *Sono finlandese*. Un anno dopo, Doron Mazar, un cantante israeliano, realizza una versione in ebraico intitolata *Ani Hozer HaBayta*, che in italiano vuol dire *Sto tornando a casa*. Anche il cantante brasiliano José Augusto incide una cover in portoghese, intitolata *Faz de Conta*, che in italiano si può tradurre con *Immaginazione*.

Più recentemente, la cantante egiziana Lara Scandar ha realizzato una cover in arabo: *Taalou Ghannou Maaya*, in italiano *Vieni a cantare con me*.

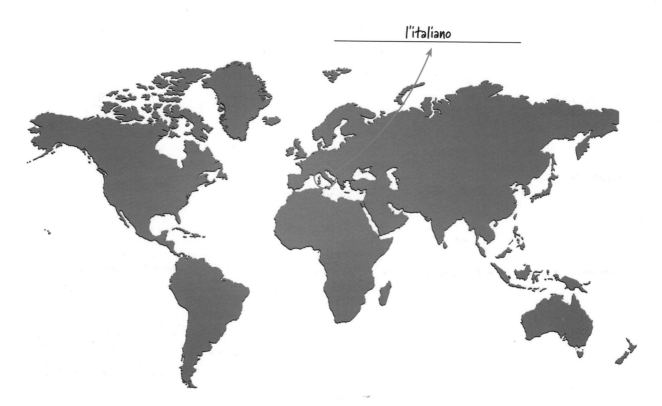

## 13b

*Confrontate le vostre cartine con i compagni.*

**•••• in plenum**

# Aria

testo **Gianna Nannini** (in collaborazione con Isabella Santacroce) | musica **Francesco Sartori**
cantante **Gianna Nannini** | anno **2002**

**Gianna Nannini**, nasce a Siena il 14 giugno 1956. Dopo aver studiato per otto anni pianoforte al Conservatorio, nel 1975 lascia la Toscana per trasferirsi a Milano. Qui studia composizione e chitarra, che suona con impostazione punk. A soli vent'anni pubblica il suo primo album, dal titolo *Gianna Nannini*. L'album *California*, del 1979, contiene la canzone *America*, con cui la Nannini entra per la prima volta in classifica e che diviene un classico dei suoi concerti, rappresentando in pieno la grinta e l'energia rock dell'artista. Nel 1984 il brano *Fotoromanza* ottiene un grandissimo successo in Italia e in Europa. Il videoclip della canzone è firmato dal regista premio Oscar Michelangelo Antonioni.

### la canzone

*Aria*, uscito per la prima volta su cd singolo nel gennaio 2002, è un brano realizzato per la colonna sonora di un cartone animato. Nel mese di aprile dello stesso anno esce un album di inediti, intitolato appunto *Aria*, che contiene una nuova versione della canzone. Il testo è scritto in collaborazione con la scrittrice Isabella Santacroce, di cui la Nannini ha detto: "Non conoscevo Isabella se non per i suoi libri, che amo molto, così ho provato a coinvolgerla. Mi accorgevo, leggendo, che utilizzava parole che suscitavano visioni, e per me anche la musica deve arrivare a una visione".

| Livello | A2 |
|---|---|
| Contenuti grammaticali e lessicali: | • Forme e uso del futuro indicativo<br>• Il periodo ipotetico della realtà<br>• Il lessico dei luoghi |
| Contenuti comunicativi: | • Raccontare l'inizio di una storia / fiaba<br>• Esprimere opinioni<br>• Scrivere la trama di una storia |
| Obiettivi culturali: | • Sapere come è nata *Aria*, colonna sonora di un cartone animato italiano |

# aria

**1a** *Pensa ai quattro elementi: TERRA, ARIA, FUOCO, ACQUA. Abbina gli aggettivi agli elementi, un aggettivo può andare bene per più elementi. Poi aggiungi un aggettivo scelto da te sotto ad ogni elemento. Attenzione, gli aggettivi sono tutti maschili: trasformali al femminile quando necessario.*

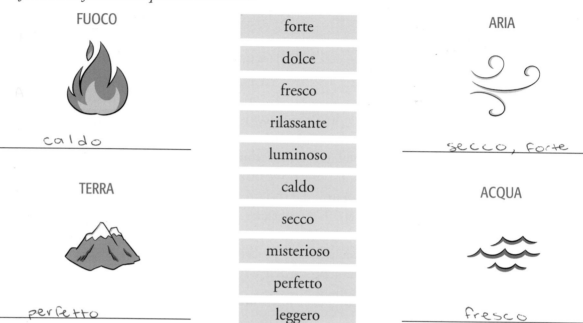

FUOCO

caldo

forte
dolce
fresco
rilassante
luminoso
caldo
secco
misterioso
perfetto
leggero

ARIA

secco, forte

TERRA

perfetto

ACQUA

fresco

**1b** *Confrontate tutte le vostre risposte e spiegate il perché di ogni scelta. Scegliete una delle formule qui sotto.*

| Per me | + *indicativo* |
|--------|----------------|
| Secondo me | |

- Per me il fuoco è caldo perchè mi scalda nel inverno.
- Per me la terra è perfetta perchè la natura è molto bella
- Per me l'aria è se forte perchè può muovere qualcosa
- Per me l'acqua è fresca perchè mi rinfresca quando ho sete

**1c** *Confrontate con i compagni gli aggettivi che avete aggiunto al punto* **1a** *e votate l'aggettivo che più vi piace (non potete votare per il vostro).*

8

**2a** *Immagina di aprire il tuo libro preferito: in quale elemento (terra, aria, fuoco, acqua) ti trasporta? Perché?*

*Quando apro il libro mi trovo*

*aria perché il mio segno zodiacale è la bilancia un segno di aria*

**2b** *Leggete le vostre proposte ai compagni.*

**3a** *Le prime parole della canzone dicono "Sai, nascono così fiabe che vorrei". Tra le parole della lista, cinque sono contenute nel testo. Secondo te quali?*

silenzio

angeli

rumore

gioco

buio

luce

demoni

inferno

colore

paradisi

fate

maghe

**3b** *Confrontate le risposte con i compagni e motivate le vostre scelte.*

# aria

**4a** ▶️ *Ascolta la canzone* **Aria***. Quale di queste immagini potrebbe essere la copertina del disco? Poi scrivi il perché della tua scelta.*

• individuale

**1**

**8**

**2**

**3**

Ho scelto l'immagine numero __3__ perché __è ha un aspetto__
__mistico come la canzone__ .

**4b** *Confrontate la vostra scelta con i compagni e spiegate perché.*

•• ••a gruppi

# aria

8

**5a** *Aria è stata la colonna sonora di un famoso film. Secondo te, di quale?* · individuale
*Leggi le trame e scegline una.*

**1 Momo alla Conquista del Tempo** | regia di Enzo D'Alò
Momo è una bambina di circa nove anni molto speciale: se guarda qualcuno dritto negli occhi, la persona è obbligata a dire la verità. Con l'aiuto di Cassiopea, una tartaruga di 180 anni che vede il futuro, e del maestro Hora, Momo riuscirà a scoprire i misteriosi piani dei "Signori Grigi", che convincono gli uomini a risparmiare il tempo e a metterlo in banca. In realtà, il piano dei Signori Grigi è rubare il tempo agli uomini in modo che ne abbiano meno per la famiglia, gli amici, il tempo libero, il sonno e le loro passioni.

**2 Tutta la vita davanti** | regia di Paolo Virzì
Marta, appena laureata in filosofia con il massimo dei voti, partecipa a un concorso come ricercatrice ma intanto cerca un lavoro part-time.
La sua coinquilina le consiglia di chiedere all'azienda Multiple Italia che cerca operatori call-center. Inizia il lavoro in questa azienda e risulta da subito tra le più brave a fissare appuntamenti.
Presto, però, si stanca del lavoro precario e poco pagato e decide di ribellarsi.

**5b** *Discutete insieme e motivate le vostre scelte usando una formula fra quelle proposte qui a fianco.* · · a coppie

| Credo che | |
|---|---|
| Penso che | + *congiuntivo* |
| Suppongo che | |

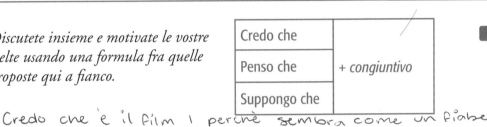

*Credo che è il film 1 perché sembra come un fiabe*

**6a** *Ascolta la canzone e completa il testo con le parole mancanti.* · individuale

Sai nascono così
**a** fiabe che vorrei
dentro tutti i sogni miei
e le racconterò
per volare in paradisi che non ho
e non è facile restare senza più
**b** fate da rapire
e non è facile giocare se tu manchi
aria come è dolce nell'aria
scivolare via dalla vita mia
aria respirami il **c** silenzio
non mi dire addio ma solleva il mondo
sì portami con te
tra misteri di **d** angeli
e sorrisi **e** demoni
e li trasformerò

in **f** coriandoli di luce tenera
e riuscirò sempre a fuggire
dentro colori da scoprire
e riuscirò a sentire ancora quella musica
aria come è dolce nell'aria
scivolare via dalla vita mia
aria respirami il **c** silenzio
non mi dire addio ma solleva il mondo
aria abbracciami
volerò, volerò, volerò, volerò...
aria ritornerò nell'aria
che mi porta via dalla vita mia
aria mi lascerò nell'aria
aria com'è dolce nell'aria
scivolare via dalla vita mia
aria mi lascerò nell'aria

Gianna Nannini | **Aria**
Testo: Gianna Nannini (in collaborazione con Isabella Santacroce) – Musica: Francesco Sartori
Universal 2002

**6b** *Confrontate le vostre risposte e abbinate le parole scritte al punto* **6a** *al loro significato.*

B **1** B donne molto belle che hanno poteri magici
**2** e esseri non umani che danno cattivi consigli agli uomini
**3** d esseri non umani rappresentati come bei ragazzi con le ali
**4** F piccoli pezzi di carta colorata usati durante la festa di Carnevale
**5** C quando in un luogo non c'è rumore e nessuno parla
A **6** A storie che hanno molti elementi di fantasia

**7a** *Guarda le immagini e scrivi ciò che vedi. Completa la frase usando i verbi della lista al futuro semplice, come nell'esempio.*

| raccontare | riuscire | trasformare | ritornare | volare | lasciare |

*In un futuro ancora molto lontano, accadrà che …*

Bla, bla, bla...

i robot racconteranno storie ai bambini per farli addormentare

transforerà
La fata trafor la spazzatura in fiori

Nel futuro i vecchi ritorneranno a giovani con medicina

il razzo lascèrà della terra

Nel futuro i automobili voleranno

Il uomo riuscirà caminare sul nuvole

**7b** *Confrontate le vostre risposte.*

**8** *Completa le frasi usando il periodo ipotetico della realtà, come nell'esempio.*  • individuale

Es. *Se tu (amore mio) manchi non è facile giocare.*

**1** Se tu (dentista) manchi _____

**2** Se tu (anima gemella) manchi _____

**3** Se tu (libreria) manchi _____

**4** Se tu (professore) manchi _____

**5** Se tu (pausa pranzo) manchi _____

**6** Se tu (divano) manchi _____

**9** *A turno, una coppia (A) sceglie una frase per l'altra coppia (B). Uno studente della coppia B legge la frase a voce alta e dice se è giusta o sbagliata. Se la frase è sbagliata deve dire qual è l'errore e dare la forma corretta, confrontandosi con il compagno. Se la frase è giusta o è riformulata in maniera corretta, la coppia occupa la casella che, in caso contrario, rimane a disposizione. Vince chi occupa più caselle. Gli errori riguardano i pronomi.*

Guida per l'insegnante Vai a pag.141

| | | | |
|---|---|---|---|
| **1**<br>Domani vedo Giulia e finalmente la do il suo libro. | **2**<br>Non trovo più il curriculum. Chissà dove li ho messo!? | **3**<br>Non ho ancora trovato la mia anima gemella, spero di incontrarla presto. | **4**<br>Quel cameriere aveva ottimi requisiti, perciò gli abbiamo preso. |
| **5**<br>Dobbiamo cambiare casa: la vorremmo più grande e con giardino. | **6**<br>I miei nipoti sono tanti e spesso gli chiamo con nomi diversi. | **7**<br>La casa è bellissima e devi assolutamente venire a vederla. | **8**<br>Li piace più vivere in appartamento che in una villetta. |
| **9**<br>Mi ha proposto di lavorare solo in ufficio per questo lo ho detto di no. | **10**<br>Li puoi dire di stare zitto? | **11**<br>Mio fratello si veste malissimo. La devo aiutare a comprare dei vestiti nuovi. | **12**<br>Se domani non verrà al lavoro lo chiamerò. |
| **13**<br>Gentile direttore, le invio il mio curriculum domani. | **14**<br>Signora Bruni, sabato ha tempo? Devo dirla una cosa. | **15**<br>Le ragazze non hanno la macchina: le vado a prendere io a casa. | **16**<br>Non conosco bene Francesca, quando le conoscerò meglio capirò cosa fare! |

**10a** *Nel testo della canzone **Aria** sono presenti due luoghi. Sottolineali nel testo al punto **6a** e scrivili al posto dei trattini. A quale elemento (aria, acqua, terra, fuoco) li abbineresti?*

**1** ___silenzio___

**2** ___acqua___

**10b** *Confrontate le vostre risposte. Scrivete all'interno dei quattro riquadri i luoghi della lista che, secondo voi, si legano a ciascun elemento.*

| vulcano | mare | deserto | lago |
|---|---|---|---|

| campo | collina | bosco | cima (di una montagna) |
|---|---|---|---|

| terrazza di un grattacielo | ponte tibetano | torrente | terme naturali |
|---|---|---|---|

| FUOCO | TERRA |
|---|---|
| | |

| ARIA | ACQUA |
|---|---|
| | |

**11a** *Leggete i riquadri e sceglietene uno. Scrivete la trama di un racconto seguendo lo schema sotto riportato. Inventate le informazioni mancanti.*

•• a coppie

 Guida per l'insegnante Vai a pag. 141

 **FUOCO**
**chi:** pompieri
**quando:** due mesi fa

 **ACQUA**
**chi:** abitante isola
**quando:** tra 10 anni

 **TERRA**
**chi:** contadino
**quando:** l'anno prossimo

 **ARIA**
**chi:** acrobata
**quando:** in questo momento

| elemento | |
|---|---|
| titolo del racconto | |
| chi? | |
| quando? | |
| dove? | |
| che cosa? | |

**8**

**11b** *Leggete a turno le vostre storie. Le altre coppie ascoltano e completano la tabella di valutazione colorando le stelline (1 minimo, 5 massimo). Vince la coppia che totalizza più stelline.*

•••• in plenum

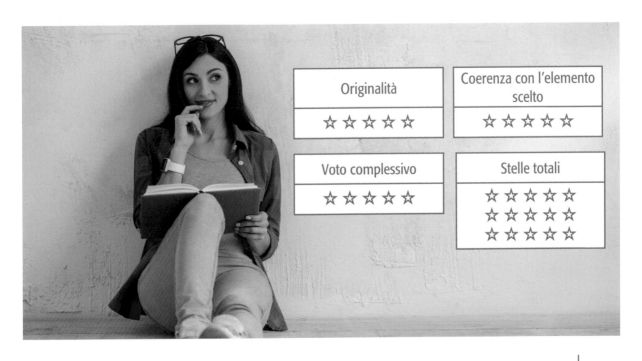

**12** *Rimettete nel giusto ordine i paragrafi del testo per ricostruire la biografia di Todor Proeski.*   `•• a coppie`

**a** ☐ Ha iniziato la sua carriera nel 1996, con la partecipazione al festival musicale per giovani Melfest a Prilep e poi ha partecipato all'Eurovision Song Contest 2004 con il brano *Life* (arrivato 14° in finale).

**b** ☐ Muore qualche tempo dopo a causa di un incidente automobilistico in Croazia con un camion.

**c** ☐ Nel 2007 si esibisce all'Arena di Belgrado cantando, insieme a Gianna Nannini, il brano *Aria*.

**d** ☐ Dopo la sua morte, lo Stato della Repubblica di Macedonia gli ha dato il titolo di "Cittadino Onorario di Macedonia".

**e** ☐ Questo duetto segna il lancio del cantante sulla scena internazionale.

Todor Proeski

**13a** *Quale cantante famoso sceglieresti per interpretare insieme a Gianna Nannini la canzone* **Aria***?*   `• individuale`

| | |
|---|---|
| Come si chiama? | |
| Perché è famoso/a? | |
| Perché lo hai scelto? | |

**13b** *Confrontate le vostre proposte con i compagni motivando le scelte.*   `•••• in plenum`

8

# A2 appendice

## unità 5.12a

| | | | |
|---|---|---|---|
| VIOLA | GIALLO | ROSSO | VERDE |
| BLU | ROSA | NERO | MARRONE |

## unità 8.9

| | | | |
|---|---|---|---|
| **1** Domani vedo Giulia e finalmente la do il suo libro. | **2** Non trovo più il curriculum. Chissà dove li ho messo!? | **3** Non ho ancora trovato la mia anima gemella, spero di incontrarla presto. | **4** Quel cameriere aveva ottimi requisiti, perciò gli abbiamo preso. |
| **5** Dobbiamo cambiare casa: la vorremmo più grande e con giardino. | **6** I miei nipoti sono tanti e spesso gli chiamo con nomi diversi. | **7** La casa è bellissima e devi assolutamente venire a vederla | **8** Li piace più vivere in appartamento che in una villetta. |
| **9** Mi ha proposto di lavorare solo in ufficio per questo lo ho detto di no. | **10** Li puoi dire di stare zitto? | **11** Mio fratello si veste malissimo. La devo aiutare a comprare dei vestiti nuovi. | **12** Se domani non verrà al lavoro lo chiamerò. |
| **13** Gentile direttore, le invio il mio curriculum domani. | **14** Signora Bruni, sabato ha tempo? Devo dirla una cosa. | **15** Le ragazze non hanno la macchina: le vado a prendere io a casa. | **16** Non conosco bene Francesca, quando le conoscerò meglio capirò cosa fare! |

## unità 8.11a

| | | | |
|---|---|---|---|
| **FUOCO** | **ACQUA** | **TERRA** | **ARIA** |

**chi:** pompieri
**quando:** due mesi fa

**chi:** abitante isola
**quando:** tra 10 anni

**chi:** contadino
**quando:** l'anno prossimo

**chi:** acrobata
**quando:** in questo momento

| | | | |
|---|---|---|---|
| **FUOCO** | **ACQUA** | **TERRA** | **ARIA** |

**chi:** popolo africano
**quando:** tra cinque giorni

**chi:** pescatore
**quando:** domani

**chi:** artigiano
**quando:** la prossima settimana

**chi:** pilota
**quando:** dalla prossima settimana

| | | | |
|---|---|---|---|
| **FUOCO** | **ACQUA** | **TERRA** | **ARIA** |

**chi:** nomade
**quando:** ieri mentre…

**chi:** marinaio
**quando:** ieri

**chi:** artista
**quando:** l'anno scorso quando…

**chi:** astronauta
**quando:** 50 anni fa

# livello **B1**

# La solitudine

musica **Angelo Valsiglio e Pietro Cremonesi** | testo **Paolo Cremonesi e Federico Cavalli**
cantante **Laura Pausini** | anno **1993**

**B1**

**Laura Pausini** nasce a Faenza il 16 maggio 1974. Inizia a cantare da ragazzina, duettando con il padre nei piano bar e incide il suo primo disco a soli 13 anni. Partecipa a vari concorsi in Emilia-Romagna e grazie alla potenza della sua voce riesce nel 1993 a vincere Sanremo. Nel 1996 il suo terzo album *Le cose che vivi*, oltre alla versione italiana, esce anche in spagnolo e portoghese. L'anno successivo, visto il successo internazionale, parte per il suo primo World Tour, che registra il tutto esaurito in tutte le serate.

È stata la prima donna della storia della musica italiana ad esibirsi allo stadio di San Siro a Milano, dove nel 2007 ha cantato davanti a 70000 fan venuti da tutto il mondo.

Ha ricevuto numerosi premi, candidature e riconoscimenti tra i più importanti a livello mondiale, tra questi anche il Grammy Award nel 2005, che nessuna donna italiana aveva mai vinto prima di lei.

## la canzone

*La solitudine* è il brano di esordio di Laura Pausini, con cui nel 1993 vince il Festival di Sanremo nella categoria Novità.

Il brano conquista velocemente la classifica dei dischi più venduti e rimane in testa per diverse settimane. *La solitudine* viene tradotta e cantata prima in spagnolo, poi in portoghese e infine in inglese, diventando una delle canzoni italiane più amate nel mondo.

La stessa Laura Pausini ha ripetutamente dichiarato di essere particolarmente legata al brano, il cui successo è stato elemento determinante per la sua carriera.

| Livello | A2 |
|---|---|
| Contenuti grammaticali e lessicali | • Le particelle *ci* e *ne*<br>• Alcuni verbi pronominali<br>• Il condizionale passato, l'imperfetto e il trapassato prossimo<br>• Il lessico dei sentimenti |
| Contenuti comunicativi | • Descrivere un quadro<br>• Fare progetti |
| Obiettivi culturali | • Sapere da quale esperienza personale della cantante è nata *La solitudine* |

**9**

**1a** *Guardate le foto di quattro quadri famosi e rispondete alle domande.*  `•• ••a gruppi`

**1**

**2**

**3**

**4**

**1** Quale opera scegliereste per rappresentare la solitudine?

*Per rappresentare la solitudine sceglierei Malinconia*  the opera

**2** Quali elementi vi hanno guidati nella scelta?

*Il uomo è solo e triste | colori tristi come blu e* grigi

**3** Come descrivereste il/i protagonista/i dell'opera scelta?

_____

**4** Quali emozioni vi suscita?

*solitidine, delusione, malinconia*

**5** Quale titolo dareste all'opera che avete scelto?

*Uomo nel fiume*

**1b** *A turno, leggete le risposte alle domande 3, 4, 5. I vostri compagni indovinano quale opera avete scelto.*  `•••• in plenum`

9

# la solitudine

**2a** *Guardate i tre insiemi di disegni, poi ascoltate la canzone e scegliete quello che meglio descrive il testo. Spiegate perché.*

**2b** *Confrontate le vostre risposte con i compagni.*

•••• in plenum

**2c** *Scegliete un nuovo elemento che secondo voi descrive la canzone da aggiungere all'insieme di disegni corretto del punto* **2a**. *Disegnatelo e poi create una breve didascalia per descriverlo.*

•• a coppie

**2d** *Presentate le vostre proposte ai compagni. Insieme decidete qual è la più convincente. Motivate le vostre scelte.*

•••• in plenum

**3a** *Ascolta un'altra volta la canzone e metti in ordine i titoletti numerandoli da 1 a 6.*

`• individuale`

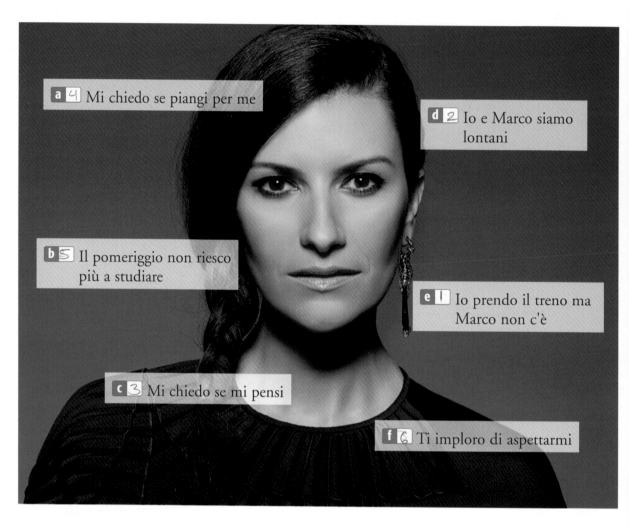

a **4** Mi chiedo se piangi per me

d **2** Io e Marco siamo lontani

b **5** Il pomeriggio non riesco più a studiare

e **1** Io prendo il treno ma Marco non c'è

c **3** Mi chiedo se mi pensi

f **6** Ti imploro di aspettarmi

**3b** *Confrontate le vostre risposte.*

`•• a coppie`

**4a** *Riascoltate la canzone e indicate se le affermazioni sono vere (V) o false (F).*

`•• a coppie`

|  | V | F |
|---|---|---|
| **1** A scuola il posto di Marco è stato preso da un altro studente. | ✓ | F |
| **2** La cantante stringe al cuore la foto di Marco mentre fa i compiti. | ✓ | |
| **3** Gli occhi di Marco rivelano timidezza. | ✓ | |
| **4** La causa del trasferimento di Marco è il lavoro di suo padre. | ✓ | |
| **5** La cantante chiede aiuto ad amici e familiari. | ✓ | F |
| **6** La cantante vuole che Marco la dimentichi. | | F |

**4b** *Confrontate le vostre risposte con i compagni e motivate le scelte.*

`•••• in plenum`

# la solitudine

**5a** *Per ogni errore **evidenziato** nel testo della canzone, indicate se si tratta di un errore di grammatica (G) o di ortografia (O) e correggete le parole.*

**· · a coppie**

Marco se **nè** andato e non ritorna
   più
Il treno delle 7:30 senza lui
È un cuore di metallo senza
   l'anima
Nel freddo del mattino grigio di
   città

G ☑ O ☐

A scuola il banco è vuoto, Marco è
   dentro me
È dolce il suo respiro fra i pensieri
   miei
Distanze enormi sembrano
   dividerci
Ma il cuore **bate** forte dentro me

G ☐ O ☐

G ☐ O ☐

**Chissa** se tu mi penserai
Se con i tuoi non parli mai
Se ti nascondi come me
Sfuggi **li** sguardi e te ne stai

G ☐ O ☐

Rinchiuso in camera e non vuoi
   mangiare
Stringi forte a te il cuscino
Piangi non lo sai
Quanto altro male ti **fara** la
   solitudine

G ☐ O ☐

Marco nel mio diario ho una
   fotografia
**Ai** gli occhi di bambino un poco
   timido
La stringo forte al cuore e sento
   che ci sei fra i compiti d'inglese
   e matematica

G ☐ O ☐

Tuo padre e i suoi consigli che
   monotonia
Lui con il suo lavoro **te** ha portato
   via

G ☐ O ☐

Di certo il tuo parere non l'ha
   chiesto mai
Ha detto: un giorno tu mi capirai
**Chissa** se tu mi penserai
Se con gli amici **parli**
Per non soffrire più per me
Ma non è facile lo sai

G ☐ O ☐

A scuola non ne posso più
E i pomeriggi senza te
Studiare è inutile tutte le **ide**
Si affollano su te

G ☐ O ☐

Non è possibile dividere
La vita di noi due
Ti prego aspettami amore mio
Ma illuderti non so

La solitudine fra noi
Questo silenzio dentro me
È **linquietudine** di vivere
La vita senza te

G ☐ O ☐

Ti prego aspettami perché
Non posso stare senza te
Non è possibile dividere
La storia di noi due

La solitudine fra noi
Questo silenzio dentro me
È **linquietudine** di vivere
La vita senza te

G ☐ O ☐

Ti prego aspettami perché
Non posso stare senza te
Non è possibile dividere
La storia di noi due

La solitudine...

Laura Pausini | **La solitudine**
Musica: Angelo Valsiglio e Pietro Cremonesi – Testo: Paolo Cremonesi e Federico Cavalli
CGD 1993

**5b** *Confrontate le vostre correzioni con i compagni.*

**· · · · in plenum**

9

# la solitudine

**6a** *Nel testo della canzone c'è un verbo pronominale? Trovalo e scrivilo qui sotto.* • individuale

---

**6b** *Riordinate le lettere che compongono i verbi pronominali (la prima e l'ultima* •• a coppie
*lettera sono in ordine). Poi completate le frasi con il verbo corretto coniugato al tempo giusto.*

1 F R E A L C A = _____
2 P A A R L T I A = _____
3 V L O R C E I = _____
4 F L N R I I A = _____
5 S L P N T A R U A = _____

1 Alla fine il padre di Marco _____ e ha costretto il figlio a partire.
2 Io non _____ più a stare lontana da lui!
3 "Laura, _____ di piangere e di stare chiusa in camera."
4 "Voi _____ di dirmi cosa devo fare: sto male e non voglio uscire"
5 _____ davvero troppi soldi per andare a trovarlo.

**6c** *Confrontate le vostre risposte con i compagni.* •••• in plenum

**7a** *Completa le frasi con gli aggettivi della lista. Quando necessario, aggiungi il* • individuale
*prefisso negativo -in.*

| logico | possibile | probabile |
|---|---|---|
| ragionevole | responsabile | utile |

1 Con tutto questo rumore, studiare è proprio _____.
2 Il tuo consiglio è stato veramente _____, mi sento già meglio.
3 Per Laura il punto di vista del padre di Marco è _____.
4 È poco _____ che arrivi puntuale, il suo treno è partito con mezz'ora di ritardo.
5 Sei un _____, non puoi andartene così lontano senza dire niente a nessuno.
6 Avrei fatto lo stesso anch'io, il suo comportamento è del tutto _____.

**7b** *Confrontate le vostre risposte con i compagni.* •••• in plenum

# la solitudine

**8a** *Completate il cruciverba. Attenzione perché non tutte le parole sono presenti nel testo della canzone.*

## Orizzontale

1. Articolo
3. Aggettivo possessivo
6. Preposizione
9. Aggettivo possessivo
11. Sensazione di noia causata da ciò che si ripete sempre nello stesso modo
12. Congiunzione
13. Pronome personale
15. Preposizione
17. Articolo
18. Falsa rappresentazione della mente che immagina o interpreta la realtà secondo i propri desideri e le proprie speranze
20. Oggetto in cui si scrivono i propri pensieri
21. Pensieri che si formano nella mente
22. Azione opposta a ridere
23. Sensibilità, gentilezza, affettuosità in una parola
25. Aggettivo possessivo

## Verticali

2. Turbamento dell'animo
3. La condizione, passeggera o duratura, di chi non ha nessuno intorno a sé
4. Articolo
5. Assenza di suono o di voce
7. Forte sentimento di odio che una persona tiene spesso nascosto dentro di sé
8. Aggettivo possessivo
10. Dolore fisico o morale
12. Si può spezzare (= rompere) per amore
13. Aspetto del carattere di chi è riservato per paura del giudizio altrui o per timore di sbagliare
14. Com'è il mattino di Laura?
16. Possibile modo di chiamare una persona che amiamo
19. Negazione
23. Preposizione
24. Articolo

**8b** *Leggete le parole e scrivete il loro contrario scegliendo tra le parole del punto* **8a**. •• a coppie

**1** Varietà     →   _ _ _ _ _ _ _ _ _ _
**2** Freddezza   →   _ _ N _ _ _ _ _ I _
**3** Disillusione  →   D _ _ _ _ _ _ _ _ _
**4** Sfacciataggine →   _ _ _ _ _ _ _ _ _
**5** Perdono     →   _ _ _ _ _ _ _ Z
**6** Sollievo    →   _ _ _ _ _ _ _ _ _ _
**7** Tranquillità  →   _ O _ _ _ _ N _ _ _ _
**8** Compagnia  →   _ _ _ _ U _ _ _ D _

**8c** *Confrontate i vostri contrari con i compagni.* •••• in plenum

**9a** *Scegliete per ogni immagine una parola dell'attività* **8b**. *Spiegate quali elementi vi hanno suggerito la scelta.* •• a coppie

_____      _____      _____

**9b** *Confrontate le vostre risposte con i compagni.* •••• in plenum

**10a** *Scegli tre parole tra i contrari che avete scritto al punto* **8b**. *Poi associa ad ogni* • individuale *parola un momento che hai vissuto nella tua vita e scrivi delle brevi descrizioni nei riquadri. Per ogni descrizione scrivi nello spazio degli appunti a pagina 135: dove eri, con chi e che cosa è successo.*

**10b** *Confrontate le vostre parole/momenti con i compagni.* ••• a gruppi

# la solitudine

**11a** *Vestite i panni di Laura Pausini e raccontate ad amici e famiglia la vostra relazione con Marco. Completate le frasi con il verbo tra parentesi all'imperfetto o al trapassato prossimo.*

**1** Quando Marco era ancora in città (*uscire*) _____

**2** Ancora prima di parlargli (*decidere*) _____

**3** Quando studiavamo insieme (*prendere*) _____

**4** Quando sono arrivata in stazione per salutarlo, (*partire*) _____

**5** Un giorno lui mi ha raccontato che (*vedere*) _____

**6** Mi ha regalato la sua foto perché (*litigare*) _____

**11b** *Confrontate le vostre frasi con i compagni e scegliete la soluzione migliore.*

•• •• a gruppi

Guida per
l'insegnante
Vai a pag. 142

**11c** *Presentate le vostre frasi ai compagni.*

•••• in plenum

**12a** *Al posto di Laura, come avresti reagito alla partenza del tuo amore? Cosa avresti fatto? Scrivi un elenco in tre punti usando il condizionale passato.*

• individuale

9

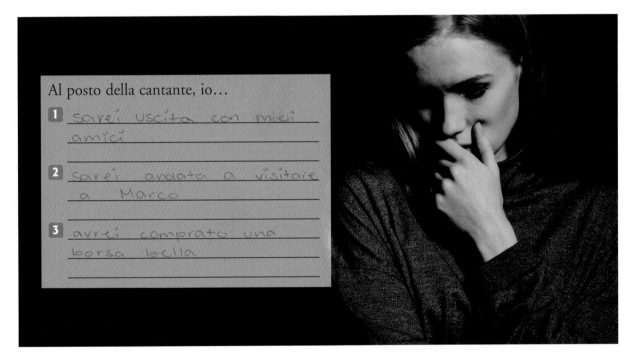

Al posto della cantante, io...

**1** sarei uscita con miei amici

**2** sarei andata a visitare a Marco

**3** avrei comprato una borsa bella

**12b** *Confrontate le vostre risposte: quali sono simili? Quali sono diverse? Trovate poi una nuova soluzione che vi metta d'accordo e scrivetela nello spazio.*

•• a coppie

Al posto della cantante, io....

**12c** *Presentate la vostra soluzione comune ai compagni.*

•••• in plenum

# la solitudine

**13a** *Siete gli amici di Laura e volete tirarle su il morale. Organizzatele una domenica che non potrà dimenticare pensando alle caratteristiche della città in cui vivete.* •• ••• a gruppi

| | |
|---|---|
| **1** Cosa offre la vostra città? | |
| **2** Quali sono i vostri programmi per la domenica con Laura? | |
| **3** Come reagirà, secondo voi, Laura alla vostra sorpresa? Perché? | |

**13b** *Presentate il vostro programma ai compagni motivando le vostre scelte.* •••• in plenum

**14a** *Scattate una foto di ciò che, per voi, rappresenta meglio il concetto di solitudine. Prima di scattare la vostra foto, discutete sugli aspetti della lista.* •• ••• a gruppi

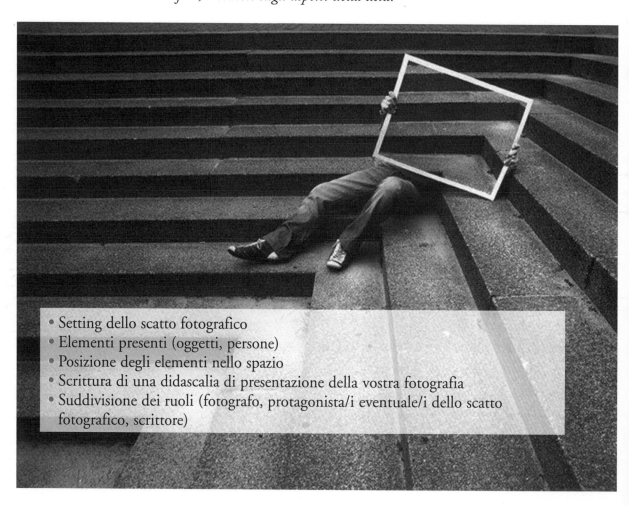

- Setting dello scatto fotografico
- Elementi presenti (oggetti, persone)
- Posizione degli elementi nello spazio
- Scrittura di una didascalia di presentazione della vostra fotografia
- Suddivisione dei ruoli (fotografo, protagonista/i eventuale/i dello scatto fotografico, scrittore)

**14b** *Leggete la didascalia e mostrate la vostra fotografia ai compagni.* •••• in plenum

# la solitudine

**15a** *Scrivi una breve pagina di diario in cui racconti un momento della tua vita in cui ti sei sentito/a solo/a. Segui la traccia.*

**1** Quanti anni avevi?

**2** Che cosa stavi facendo in quel periodo?

**3** Perché ti sei sentito solo/a?

**4** Chi o che cosa ti ha aiutato a risollevarti?

**9**

**15b** *A turno, raccontate oralmente il vostro ricordo al compagno. Scegliete le parole o le espressioni usate dal compagno che, secondo voi, esprimono meglio l'idea di solitudine e poi scrivetele nel riquadro.*

**15c** *Confrontate le vostre parole ed espressioni con i compagni.*

# la solitudine

## 16a Leggete l'articolo e rispondete alle domande su Marco.

`•• a coppie`

Il diario della scuola è, da sempre, il luogo dei segreti: accanto agli orari delle lezioni e ai compiti, trovano posto anche disegni, pensieri e il nome della persona che si ama in quel momento. Laura Pausini ha appena pubblicato sul suo profilo *Instagram* una foto del suo diario della terza media dove appare un nome ormai conosciuto a livello internazionale: quello di Marco.
*La solitudine* parla proprio della partenza di questo

ragazzo, Marco, che ha seguito il padre che per lavoro si è spostato in un'altra città. Marco ha così dovuto lasciare la scuola, gli amici e, per l'appunto, anche Laura con il cuore spezzato.

Già in passato l'artista di Faenza aveva parlato di questo amore adolescenziale, bloccato però sul nascere: «È stato il mio primo grande amore, ma mi ha lasciato nel modo peggiore: ha baciato un'altra davanti a tutti. Quanto ho sofferto! Ho pianto per giorni…», ha spiegato pochi anni fa a un settimanale. Marco poi è partito veramente lasciandola sola e disperata. Grazie a questo abbandono è iniziata la carriera della Pausini che ha però raccontato di essere rimasta amica di quel ragazzino, all'epoca 13enne, che per primo le aveva fatto conoscere il dolore di una separazione.

«A lui devo tutto. Se non ci fosse stato quell'episodio a scatenare in me la sofferenza e la tristezza per aver perso il mio "amore", probabilmente *La solitudine* non sarebbe mai esistita», ha spiegato Laura, oggi mamma felice di sua figlia Paola e serena accanto al compagno Paolo Carta.

*da iodonna.it*

**1** Secondo voi, Marco ha sofferto quanto Laura per la separazione? Perché?

_____

_____

**2** Come descrivereste Marco? Scegliete tre aggettivi e motivateli.

_____

_____

## 16b Confrontate le vostre risposte con i compagni.

`•••• in plenum`

# Caruso

testo e musica **Lucio Dalla**

cantante **Lucio Dalla** | anno **1986**

**Lucio Dalla** nasce a Bologna il 4 marzo 1943 e muore il primo marzo 2012. Musicista di formazione jazz, comincia ad esibirsi come cantante nei primi anni Sessanta. Nel 1966 partecipa per la prima volta al Festival di Sanremo ed esce il suo primo album. I primi anni della sua carriera sono difficili nonostante le collaborazioni con nomi importanti del panorama musicale italiano come Gianni Morandi e Gino Paoli. Raggiunge il grande successo alla fine degli anni Settanta con gli album *Lucio Dalla* (1978) e *Dalla* (1980). Gli anni Ottanta rappresentano un decennio ricco di consensi popolari e record di vendite e ogni sua nuova uscita viene accolta come un evento. La sua produzione artistica ha attraversato numerose fasi: dalla stagione beat alla sperimentazione ritmica e musicale fino alla canzone d'autore, arrivando a varcare i confini dell'opera e della musica lirica.

## la canzone

*Caruso* è l'unico inedito contenuto nell'album dal vivo *Dallamericaruso*, registrato a New York e pubblicato nel 1986. La canzone è dedicata al grandissimo tenore napoletano Enrico Caruso e rappresenta un omaggio alla cultura napoletana in genere. *Caruso* è oggi considerata un classico della musica italiana, ha venduto milioni di copie in tutto il mondo ed è stata cantata da moltissimi interpreti, italiani e stranieri.
Musicalmente, il ritornello della canzone deve molto a un brano napoletano degli anni Trenta: *Dicitencello vuje*, una disperata dichiarazione d'amore di un uomo nei confronti della donna amata.

| | |
|---|---|
| Livello | B1 |
| Contenuti grammaticali e lessicali | • I verbi al passato remoto<br>• I verbi al congiuntivo imperfetto<br>• Gli avverbi in -*mente* |
| Contenuti comunicativi | • Esprimersi in modo adeguato al mezzo di comunicazione<br>• Rifiutare una dichiarazione d'amore |
| Obiettivi culturali | • Sapere da quale esperienza personale del cantante è nata la canzone e raccogliere informazioni su *Caruso* |

# caruso

**1a** *Leggi le frasi e indica il contesto in cui, secondo te, si possono usare.*

• individuale

S = Prevalentemente sentimentale; I = Prevalentemente intellettuale; E = Entrambi i contesti

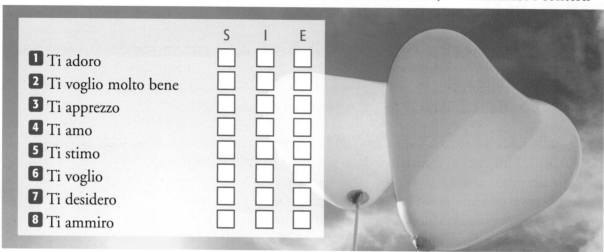

| | S | I | E |
|---|---|---|---|
| **1** Ti adoro | ☐ | ☐ | ☐ |
| **2** Ti voglio molto bene | ☐ | ☐ | ☐ |
| **3** Ti apprezzo | ☐ | ☐ | ☐ |
| **4** Ti amo | ☐ | ☐ | ☐ |
| **5** Ti stimo | ☐ | ☐ | ☐ |
| **6** Ti voglio | ☐ | ☐ | ☐ |
| **7** Ti desidero | ☐ | ☐ | ☐ |
| **8** Ti ammiro | ☐ | ☐ | ☐ |

**1b** *Confrontate le risposte con i compagni motivando le vostre scelte.*

•••• in plenum

**2a** *Dovete fare una dichiarazione d'amore a una persona che vi piace. Intervistate il vostro compagno e scrivete le risposte nella tabella.*

•• a coppie

| | |
|---|---|
| Che mezzo di comunicazione sceglieresti per comunicarle/gli l'appuntamento? | |
| Che luogo sceglieresti per dichiararti? Perché? | |
| Quale momento della giornata? Perché? | |
| Che cosa le/gli diresti? | |

**2b** *Presentate le risposte del vostro compagno alla classe riferendole in terza persona, come nell'esempio.*

•••• in plenum

Es. *Lui/Lei dice che sceglierebbe un post su Facebook per comunicare l'appuntamento.*

10

**3a** ▶ *Leggi le tre biografie e poi ascolta la canzone. Qual è, secondo te, la vera biografia di Caruso?*

• individuale

**1** Caruso nasce a Napoli nel 1955. È stato un cantautore, musicista e compositore italiano molto famoso in Italia e in Europa ma non è riuscito ad affermarsi oltreoceano. La sua musica è stata influenzata dalla musica rock, dal jazz e dal blues: non a caso i suoi strumenti preferiti erano la tromba e la fisarmonica. In alcune sue canzoni molto famose ha mescolato diversi dialetti italiani dando origine a un nuovo stile musicale che lo ha reso un vero innovatore. Muore abbastanza giovane lontano dalla sua terra durante un concerto a Londra.

**2** Caruso nasce a Napoli il 25 febbraio del 1873. La bella voce lirica gli permette, fin da giovanissimo, di esibirsi come cantante nelle case private, nei caffè e nei centri balneari, con un repertorio di canzoni napoletane. L'amore per la canzone napoletana resterà un elemento costante nella carriera dell'artista così come il suo amore per il pianoforte. Dopo i primi grandi successi italiani, anche l'America, la Russia e l'Europa spalancano i propri teatri per accogliere il giovane tenore italiano. La sua carriera diventa in breve tempo trionfale: debutta al *Metropolitan* di New York, dove canterà per ben 607 volte in diciassette stagioni. Dopo una vita di successi anche oltreoceano, trascorre gli ultimi momenti della sua vita a Sorrento morendo molto giovane, a 48 anni.

**10**

**3** Caruso nasce a Roma il 29 giugno del 1884. Fin da giovane prova ad affermarsi come tenore ma senza successo perché la critica non ritiene la sua voce convincente. Per questo motivo rinuncia alla carriera di cantante lirico e si limita a scrivere testi e musiche per altri celebri interpreti italiani e internazionali. La sua lingua prediletta è l'italiano mentre il suo strumento preferito è la chitarra. Compone testi soprattutto per grandi nomi del panorama della musica anglosassone e italiana. Muore da solo nella sua casa di campagna in Umbria dove amava ritirarsi per comporre la sua musica in completo silenzio e immerso nella quiete.

**3b** *Confrontate le vostre risposte. Trovate una soluzione che vi metta d'accordo e sottolineate nella biografia scelta gli elementi che vi hanno guidato nella decisione.*

•• a coppie

**3c** *Confrontate le vostre risposte con i compagni di classe, motivandole.*

•••• in plenum

**4a** *Leggi i post-it, riascolta la canzone e scegli le informazioni corrette.*

**1** □ Lui si trova di fronte al mare in terrazza

**2** □ L'uomo consola una ragazza triste

**3** □ Si sente una chitarra suonare

**5** □ L'uomo sente che vivrà ancora a lungo

**4** □ La ragazza ha gli occhi verdi come il mare

**6** □ Lui si trova in riva al mare

**7** □ L'uomo ride insieme ad una ragazza

**8** □ Si sente un pianoforte suonare

**9** □ La ragazza ha gli occhi blu come il cielo

**10** □ L'uomo sente la vita finire

**4b** *Confrontate le vostre risposte con i compagni e riascoltate la canzone.*

**5a** *Coniugate i verbi alla persona e al tempo verbale indicati.*

**1** Sentirsi (Imperfetto, 3ª persona singolare) → _____

**2** Voltarsi (Presente, 2ª persona singolare) → _____

**3** Piangere (Trapassato Prossimo, 3ª persona singolare) → _____

**4** Credere (Passato Remoto, 3ª persona singolare) → _____

**5** Alzarsi (Passato Remoto, 3ª persona singolare) → _____

**6** Ricominciare (Passato Remoto, 3ª persona singolare) → _____

**7** Pensare (Passato Remoto, 3ª persona singolare) → _____

# caruso

• • a coppie

**5b** *Inserite nel testo della canzone i verbi coniugati al punto* **5a**.

Qui dove il mare luccica
e tira forte il vento
su una vecchia terrazza
davanti al golfo di Surriento.
Un uomo abbraccia una ragazza
dopo che (*piangere*) _____
poi si schiarisce la voce
e ricomincia il canto.

Te voglio bene assaje
ma tanto tanto bene sai.
È una catena ormai
che scioglie il sangue dint' 'e vvene sai.

Vide le luci in mezzo al mare
(*pensare*) _____ alle notti
là in America
ma erano solo le lampare
nella bianca scia di un'elica.
Sentì il dolore nella musica
(*alzarsi*) _____
dal pianoforte
ma quando vide la luna
uscire da una nuvola
gli sembrò più dolce anche la morte.
Guardò negli occhi la ragazza
quegli occhi verdi come il mare
poi all'improvviso uscì una lacrima
e lui (*credere*) _____
di affogare.

Te voglio bene assaje
ma tanto tanto bene sai.
È una catena ormai
che scioglie il sangue dint' 'e vvene sai.

Potenza della lirica,
dove ogni dramma è un falso
che con un po' di trucco e con la mimica
puoi diventare un altro.
Ma due occhi che ti guardano
così vicini e veri
ti fan scordare le parole,
confondono i pensieri.
Così diventa tutto piccolo,
anche le notti là in America
(*voltarsi*) _____
e vedi la tua vita
come la scia di un'elica.
Ma sì, è la vita che finisce,
ma lui non ci pensò poi tanto
anzi (*sentirsi*) _____
già felice
e (*ricominciare*) _____
il suo canto.

Te voglio bene assaje
ma tanto tanto bene sai.
È una catena ormai
che scioglie il sangue dint' 'e vvene sai.

Lucio Dalla | **Caruso**
Testo e musica: Lucio Dalla
RCA italiana 1986

**10**

• • • • in plenum

**5c** *Riascoltate la canzone
e verificate il testo.*

# caruso

**6a** *Cosa avrebbe potuto rispondere la ragazza a Caruso? Completa le frasi con i verbi della lista al **congiuntivo imperfetto**.*

| impegnarsi | credere | volere | sapere | essere | riuscire |
|---|---|---|---|---|---|

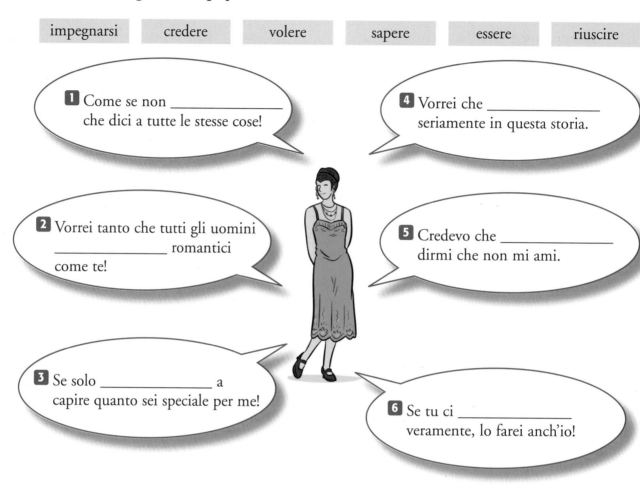

**1** Come se non _____ che dici a tutte le stesse cose!

**4** Vorrei che _____ seriamente in questa storia.

**2** Vorrei tanto che tutti gli uomini _____ romantici come te!

**5** Credevo che _____ dirmi che non mi ami.

**3** Se solo _____ a capire quanto sei speciale per me!

**6** Se tu ci _____ veramente, lo farei anch'io!

**6b** *Scegli la risposta che preferisci motivandola.*

Preferisco la risposta n° _____ perché _____

_____.

**6c** *Confrontate le risposte motivando le vostre scelte e scrivete una nuova risposta utilizzando il **congiuntivo imperfetto**.*

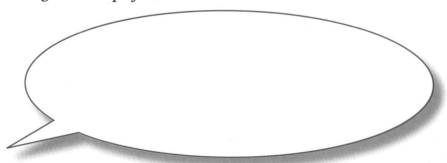

**6d** *Presentate le vostre risposte ai compagni.*

10

# caruso

**7a** *Trasforma gli aggettivi in avverbi, come nell'esempio.*

• individuale

1 dolce      →     *dolcemente*
2 improvviso    → _____
3 magico      → _____
4 rapido      → _____
5 intenso     → _____
6 triste      → _____
7 finto       → _____
8 appassionato   → _____

**7b** *Scegliete un verso della canzone da associare a ogni avverbio del punto* **7a**. *Scrivete il verso e l'avverbio come nell'esempio per comporre una frase.*

•• a coppie

Es. *Un vomo abbraccia dolcemente una ragazza* _____
1 _____
2 _____
3 _____
4 _____
5 _____
6 _____
7 _____
8 _____

**7c** *Confrontate le vostre proposte con i compagni.*

•••• in plenum

**8a** *Scegli tra avverbio e aggettivo per completare le frasi.*

• individuale

1 È stato un colpo di fulmine *inaspettatamente/inaspettato*.
2 Sei rimasta *stranamente/strana* silenziosa dopo la nostra chiacchierata.
3 È *difficilmente/difficile* che io ti possa lasciare, ti voglio troppo bene!
4 *Onestamente/Onesto* devo dirti che non posso più stare con te!
5 Siamo *felicemente/felici* sposati da 10 anni.
6 È *probabilmente/probabile* che dopo le vacanze estive non ci vedremo più.

**8b** *Confrontate le vostre risposte. Poi modificate le frasi utilizzando la parola che non avete scelto. Potete scrivere le nuove frasi nello spazio degli appunti a pagina 135 o 136.*

•• a coppie

**8c** *Confrontate le nuove frasi con i compagni.*

•••• in plenum

10

**9a** *Leggi il post sul blog "CompassUnibo" e rispondi alle domande.*    • individuale

## L'amore ai tempi del web 2.0: l'arte della conquista a suon di "condivisioni" e "mi piace"

Esco una sera con le amiche ed entriamo in un locale. Dopo un po' intravedo un ragazzo che mi sembra molto carino, decido che vorrei conoscerlo. Ma come fare? Vado da lui a parlargli di persona? Assolutamente no… cerco di avere il suo contatto Facebook così da potergli parlare in chat! Finzione?! No. È questo uno dei possibili modi in cui nasce l'amore ai tempi del web 2.0: si chiede prima il contatto Facebook, piuttosto che il numero di cellulare, alla persona che ci piace. In questo post proviamo a fare una riflessione insieme.

È infatti cambiato l'approccio relazionale tra i giovani in campo amoroso. Oggi sembriamo lontani anni luce dalle lettere strappalacrime e dai baci rubati dagli sguardi adulti, che avvenivano ai tempi dei nostri genitori e addirittura dei nostri nonni, quando il ragazzo doveva ottenere il permesso del padre per frequentare quella ragazza per cui aveva perso la testa.

I giovani si conoscono su Social Network come Facebook o Twitter, oppure su vere e proprie piattaforme create per aiutare le persone a conoscersi online.

Così, se trovi carino un ragazzo o una ragazza non la conquisti più con un mazzo di fiori ma con uno o più "mi piace" su Facebook riferiti a quello che scrive e alle sue foto. Tra l'altro, attenzione, perché ogni "mi piace" ha un preciso significato per quella persona che te lo invia. Poi una volta esauriti i "mi piace" si passa alla seconda fase: il messaggio privato. È da lì che poi si organizza l'incontro che spesso arriva prima tramite Skype. Inoltre sul web, in questo modo, ci si può fingere chi non si è, creando profili falsi e false identità.

Ma viene da chiedersi: come mai le persone oggi preferiscono il web per relazionarsi? Che cosa trovano in questi siti d'incontri? Spesso le persone, in particolare adolescenti o giovani adulti, sono insicuri ed imbarazzati e, attraverso il web, riescono a dire parole che nella realtà non riuscirebbero ad esprimere.

adattato da *compassunibo.wordpress.com*

Esci una sera con gli amici, entri in un locale e vedi una persona che ti piace. Cosa faresti per conoscerla?

_____

_____

Cosa invece non faresti mai?

_____

_____

**9b** *Confrontate le vostre risposte motivandole. Scoprite poi insieme qual è il modo più comune per conoscere una persona nella vostra classe.*    •••• in plenum

## 10a

*Se voi foste Caruso adesso, con quale mezzo di comunicazione o social avreste fatto* ●● a coppie
*la vostra dichiarazione? Guardate le immagini e scegliete quella più adatta per "Caruso 2.0".*

**1**

**2**

**3**

**4**

## 10b

*Leggete il ritornello della canzone con la dichiarazione di Caruso. Riscrivetelo* ●● a coppie
*sul modello di "Caruso 2.0" utilizzando il mezzo di comunicazione scelto*
*al punto precedente.*

| Testo originale | Come si dichiara |
|---|---|
| Te voglio bene assaje<br>ma tanto tanto bene sai<br>È una catena ormai<br>che scioglie il sangue dint' 'e vvene sai. | Dichiarazione a parole, cantando mentre guarda la ragazza negli occhi, una sera sul Golfo di Napoli. |

| Testo di "Caruso 2.0" | Come si dichiara |
|---|---|
|  |  |

**10**

## 10c

*Leggete il testo dei vostri compagni, poi immaginate di essere la donna che riceve* ●● ●● a gruppi
*la dichiarazione. Scrivete una risposta utilizzando lo stesso mezzo di comunicazione*
*per dimostrare disinteresse in modo gentile.*

## 10d

*Leggete i vostri rifiuti ai compagni e create una classifica dal più gentile al più* ●●●● in plenum
*aggressivo.*

più gentile
↑
↓
più aggressivo

**11a** *Leggi queste famose frasi sull'amore (aforismi) e mettile in ordine: da quella che ti piace di più (1) a quella che ti piace di meno (6). Motiva il perché del primo e dell'ultimo posto.*

**a** ☐ Amare è sapere dire "ti amo" senza parlare. *Victor Hugo*

**b** ☐ Un tuo sguardo, una tua parola, mi dice più di tutta la saggezza di questo mondo. *Johann Wolfgang Von Goethe*

**c** ☐ Il vero amore comincia quando non ci si aspetta nulla in cambio. *Antoine de Saint Exupéry.*

**d** ☐ L'amore è invisibile, entra ed esce dove vuole senza che nessuno gli chieda cosa stia facendo. *Miguel De Cervantes*

**e** ☐ L'amore è un'erba spontanea, non una pianta in giardino. *Ippolito Nievo*

**f** ☐ Se non ci metti troppo, ti aspetterò tutta la vita. *Oscar Wilde*

Primo posto a _____ perché _____

Ultimo posto a _____ perché _____

**11b** *Confrontate le vostre risposte. Trovate una frase che piaccia ad entrambi.*

**11c** *Presentate la vostra frase ai compagni motivando la scelta.*

**12a** *Pensate ad una vostra breve frase sull'amore e realizzate il vostro murales. Scegliete anche i colori e il tipo di carattere che volete utilizzare.*

**12b** *Mostrate il vostro murales ai compagni e leggete la frase.*

**13a** *Raccogliete tutte le informazioni su Caruso che avete incontrato durante le attività precedenti rispondendo alle cinque domande.*

| chi? | |
|------|---|
| dove? | |
| quando? | |
| che cosa? | |
| perché? | |

**13b** *Fingete di essere dei giornalisti che devono raccontare il personaggio di Caruso per una rivista online. Completate l'articolo sul cantante con le informazioni raccolte nelle attività precedenti.*

**10**

Caruso visse a cavallo tra _____
_____
_____
_____
_____
_____
_____
_____
_____
_____
_____

**13c** *Leggete i vostri articoli ai compagni.*

**14a** *Leggi il testo in cui Lucio Dalla risponde ad alcune domande sulla canzone Caruso. Immagina una tua biografia ideale con elementi della tua vita reali e fantastici, poi scrivila nello spazio degli appunti a pagina 136.*

**• individuale**

*Partiamo dall'inizio: come le venne l'idea di scrivere un pezzo musicale su Enrico Caruso?*
Ero in barca tra Sorrento e Capri: stavamo ascoltando le canzoni di Roberto Murolo quando ci si ruppe l'asse del motore. Andammo a vela per qualche miglio e poi chiamai un amico, il proprietario dell'Hotel Excelsior Vittoria, che ci trainò al porto. In attesa che aggiustassero la barca, ci invitò a passare la notte in hotel, proprio nella suite dove morì Caruso.

*E lì trascorse la notte tra gli oggetti appartenuti al tenore...*
Sì, c'era tutto, anche il pianoforte, completamente scordato. Quella sera un altro amico, giù al bar "La Scogliera", mi raccontò di un Caruso alla fine dei suoi giorni, innamorato di una giovane cantante a cui dava lezioni. Era uno stratagemma per starle vicino, ma l'ultima sera, sentendo la morte arrivare, fece portare il piano sulla terrazza e cantò con un'intensità tale che lo sentirono fino al porto.

*Su quella base reale mise un pizzico di leggenda...*
Mi sono inventato la scena dei suoi ultimi momenti, quando pensa alle notti là in America. Era un passaggio che nel 1986 per me, che stavo per partire per un tour negli Stati Uniti, aveva un significato particolare.

*In un passaggio di Caruso, canta: "Potenza della lirica, dove ogni dramma è un falso". Eppure la vita del tenore fu davvero drammatica, dall'infanzia povera fino alla morte a 48 anni...*
Sì, anche se lui ci mise del suo per complicarsi la vita: nel 1906 venne accusato dalla polizia di aver palpeggiato una signora a Central Park, fu processato e ne uscì solo pagando un indennizzo. Ma la cosa più drammatica gli accadde nella sua Napoli.

*Perché?*
Caruso fu fischiato una sola volta in tutta la sua vita e successe a Napoli, al San Carlo, durante *L'elisir d'amore* di Donizetti. Fu un evento traumatico che gli fece giurare che non avrebbe mai più cantato per i napoletani. Mantenne la promessa.

*Anche la fine del tenore è circondata dal mistero. Morì a Napoli o a Sorrento?*
Anche qui siamo a metà strada tra leggenda e realtà: per quello che ho appreso io, Caruso si spense al Vittoria, venne messo su una barca, fingendo fosse ubriaco e fu portato all'Hotel Vesuvio, a Napoli, dove, ufficialmente, morì.

*da Il Venerdì di Repubblica*

**14b** *Presentate le vostre biografie ai compagni.*

**•••• in plenum**

10

# Se bastasse una canzone

testo e musica **Eros Ramazzotti, Piero Cassano, Adelio Cogliati**
cantante **Eros Ramazzotti** | anno **1990**

**Eros Ramazzotti** nasce il 28 ottobre 1963 a Cinecittà, un quartiere di Roma "dove è più facile sognare che guardare in faccia la realtà". Dopo aver lasciato gli studi, nel 1981 si trasferisce a Milano per inseguire il suo sogno: la musica. Il successo arriva all'improvviso nel 1984, con la vittoria tra le "Nuove proposte" al Festival di Sanremo, con il brano *Terra promessa*. Diviene subito una star di livello internazionale: il suo quinto album, *In ogni senso*, del 1990, viene pubblicato in quindici Paesi e alla sua presentazione partecipano 200 giornalisti provenienti da tutto il mondo.

A tutt'oggi è uno dei cantautori italiani di maggior successo nel panorama della musica leggera italiana e internazionale: dagli anni Ottanta in poi ha venduto circa 60 milioni di dischi.

Eros Ramazzotti ha avuto anche importanti collaborazioni artistiche con cantanti molto famosi a livello internazionale come Tina Turner, Cher, Anastacia, Ricky Martin, Joe Cocker, Andrea Bocelli e Luciano Pavarotti.

### la canzone

*Se bastasse una canzone* è il primo singolo estratto dall'album *In ogni senso*. Viene definita "un grido" che il cantante romano rivolge a chi soffre e a chi sogna un'umanità migliore. Il singolo ottiene immediatamente un successo enorme e diventa uno dei brani più significativi del cantante romano.

Nel giugno 1998, al *Pavarotti & Friends*, Ramazzotti canta il brano proprio in coppia con il tenore Luciano Pavarotti.

| | |
|---|---|
| Livello | B1 |
| Contenuti grammaticali e lessicali | • Il periodo ipotetico del II tipo<br>• *Fare* + infinito |
| Contenuti comunicativi | • Scrivere uno slogan<br>• Scrivere una breve biografia |
| Obiettivi culturali | • Conoscere alcune curiosità sul cantante romano |

**11**

**1a** *Le foto rappresentano la negazione di tre diritti/libertà fondamentali dell'uomo?*  · individuale
*Quali? Scrivili sotto ad ogni immagine.*

parola
~~neo silenziza~~                casa                libertà

**1b** *Confrontate le vostre risposte. Secondo voi, quali sono altri diritti importanti*  ·· a coppie
*per l'uomo? Scriveteli negli spazi.*

## DIRITTI

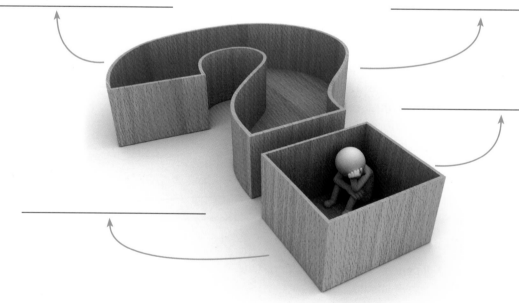

**1c** *Confrontate le vostre risposte con i compagni e fate qualche esempio tratto dalla*  ···· in plenum
*vostra esperienza.*

# se bastasse una canzone

**2a** *Quali diritti garantiscono il benessere individuale e collettivo?*
*Leggete la definizione e completate la tabella.*

> Il **benessere** (da ben - essere = "stare bene") è uno stato che coinvolge tutti gli aspetti dell'essere umano e caratterizza la qualità della vita di ogni singola persona all'interno di una comunità di persone. Il benessere consiste quindi nel miglior equilibrio possibile tra il piano biologico, il piano psichico ed il piano sociale dell'individuo.

Per noi il benessere è…

| in famiglia | a scuola / al lavoro | nel tempo libero |
|---|---|---|
| **1** cibo | **1** gradi buoni | **1** dormire |
| **2** calore | **2** amici | **2** la spiaggia |
| **3** amore | **3** soldi | **3** fare la spesa |

**2b** *Confrontate le vostre risposte con i compagni.*

**3a** ▶ *Ascolta la canzone ed evidenzia i quattro profili di persone a cui è dedicata la canzone.*

**11**

- **a** ☒ Chi non ha niente
- **b** ☐ Chi fa sport
- **c** ☐ Chi ha una famiglia
- **d** ☒ Chi scrive canzoni
- **e** ☒ Chi sogna
- **f** ☐ Chi sfrutta gli altri
- **g** ☒ Chi trascorre la vita in attesa
- **h** ☐ Chi ama la vita
- **i** ☐ Chi si annoia

**3b** *Confrontate le vostre risposte e poi ascoltate ancora. Mettete in ordine i destinatari della canzone nell'ordine in cui li sentite nominare.*

**1** _____  **2** _____
**3** _____  **4** _____

**3c** *Confrontate le vostre risposte con i compagni.*

# se bastasse una canzone

*if a song were enough*

**4a** *Riascolta la canzone e abbina la prima parte della frase alla seconda.* • individuale

**1** d Se bastasse una bella canzone a far piovere amore

**2** b Se bastasse una vera canzone per convincere gli altri

**3** c Se bastasse una buona canzone a far dare una mano

**4** a Se bastasse una grande canzone per parlare di pace

**a** Si potrebbe chiamarla per nome aggiungendo una voce

**b** Si potrebbe cantarla più forte

**c** Si potrebbe trovarla nel cuore, senza andare lontano

**d** Si potrebbe cantarla un milione, un milione di volte

**4b** *Confrontate le vostre risposte con i compagni.* •••• in plenum

**5a** *Rispondete alle domande.* •• a coppie

**1** Eros dedica la canzone anche a chi "è venuto su con troppo vento". A chi si riferisce secondo voi?

  **a** chi ha sempre vissuto in luoghi ventosi.
  **b** chi, nella vita, è stato sempre aiutato.
  **c** chi, nella vita, ha vissuto esperienze difficili.

**2** Per Eros Ramazzotti è sufficiente una canzone per cambiare le cose? Da cosa lo capite?

_____

**3** Secondo voi, qual è il messaggio della canzone?

_____

**5b** *Confrontate le vostre risposte con i compagni.* •••• in plenum

# se bastasse una canzone

**6a** *Riascolta la canzone e scrivi le parole mancanti. Poi leggi le definizioni e collegale* • individuale *ad alcune delle parole che hai inserito nel testo.*

Se bastasse una bella canzone a far piovere amore
Si potrebbe cantarla un milione, un milione di volte
Bastasse già, bastasse già
Non ci vorrebbe poi tanto a imparare ad amare di più
Se bastasse una vera canzone per **a** _convincere_ gli altri
Si potrebbe cantarla più forte, visto che sono in tanti
Fosse così, fosse così
Non si dovrebbe lottare per farsi sentire di più
Se bastasse una buona canzone a far dare una mano
Si potrebbe trovarla nel cuore, senza andare lontano
Bastasse già, bastasse già
Non ci sarebbe bisogno di chiedere la **b** _carità_
Dedicato a tutti quelli che sono allo **c** _sbando_
Dedicato a tutti quelli che non hanno avuto ancora niente
E sono ai **d** _margini_ da sempre
Dedicato a tutti quelli che stanno aspettando
Dedicato a tutti quelli che rimangono dei sognatori
Per questo sempre più da **e** _soli_
Se bastasse una grande canzone per parlare di pace
Si potrebbe chiamarla per nome aggiungendo una voce
E un'altra poi e un'altra poi
Finché diventa di un solo colore più **f** _vivo_ che mai
Dedicato a tutti quelli che sono allo **c** _sbando_
Dedicato a tutti quelli che hanno provato ad inventare
Una canzone per **g** _cambiare_
Dedicato a tutti quelli che stanno aspettando
Dedicato a tutti quelli che venuti su con troppo vento
Quel **h** _tempo_ gli è rimasto dentro
In ogni senso hanno creduto cercato e voluto che fosse così

**1 b** Elemosina, beneficenza, disponibilità ad aiutare gli altri

**2 a** In una conversazione, portare l'altra persona dalla propria parte

**3 f** Profondo, intenso

**4 c** Situazione di grave crisi e confusione

**5 d** Limiti, zone estreme e di confine

Eros Ramazzotti | **Se bastasse una canzone**
Testo e musica: Eros Ramazzotti, Piero Cassano, Adelio Cogliati
DDD 1990

**6b** *Confrontate le vostre risposte con i compagni.* • • • • in plenum

11

# se bastasse una canzone

•• a coppie

**7a** *Leggete e completate a piacere le frasi. Fate attenzione all'accordo verbale nel periodo ipotetico del secondo tipo.*

1. Se bastasse una bella canzone *cantarei* ~~una bella~~ tutti giorni
2. Se bastasse andare in palestra *mangarei tutti il giorno*
3. Se bastasse *sorredivei ogni giorno*
4. Se bastasse *caminare a scuola, non scriverei andrei gym*
5. Se *dormisse tutti la mattina, non andrei al lavoro*
6. Se *potesse volare, viagarei a Italia*

•••• in plenum

**7b** *Confrontate le vostre risposte con i compagni.*

••• a gruppi

**8a** *Leggete le tre situazioni e, per ognuna, utilizzate il periodo ipotetico del secondo tipo per aiutare, incoraggiare, sostenere qualcuno o qualcosa come negli esempi. Discutetene insieme e usate le strutture qui indicate per iniziare le frasi.*

| Se avessi… | Se potessi… | Se riuscissi… |

Es. *Dovete aiutare un amico che ha perso la casa a trovare una nuova sistemazione.*
**Se avessi** più tempo, andrei con lui a fare il giro di tutte le agenzie immobiliari della città.
**Se potessi** ospitarlo, sicuramente lo inviterei a stare da me.
**Se riuscissi** a liberare una stanza, di certo gliela affitterei.

1. Dovete dare una mano a un amico che ha perso il lavoro.

2. Dovete incoraggiare un amico a coltivare il suo sogno di diventare cantante.

3. Dovete sostenere la costruzione di un nuovo centro culturale in un quartiere della vostra città.

•••• in plenum

**8b** *Confrontate le vostre proposte con i compagni. Per ogni situazione votate quella più efficace e scrivetela qui sotto.*

situazione 1 *Se potessi lo ~~initerei~~ inviterei al mio lavoro per una intervista*
situazione 2 *Se avessi più tempo, andrei con lui a trovare una agenzia*
situazione 3 *Se riuscissi, non construiranno il centro culturale*

11

# se bastasse una canzone

**9a** *Nella canzone ci sono tre espressioni con* **Fare** + *infinito. A quale dei significati corrispondono?*   • individuale

> Far piovere - Farsi sentire - Far dare (una mano)

☐ lasciare          ☐ permettere          ☐ fare in modo che

**9b** *A turno, scegliete un verbo nella prima colonna a sinistra, un significato del verbo* **fare** *e inventate una frase con* **fare** + **infinito**. *Se la frase è corretta continuate procedendo verso destra altrimenti passate il turno al compagno. Vince chi arriva per primo al lato opposto. Se avete dubbi chiedete all'insegnante.*   •• a coppie

| INIZIO | | | | | | FINE |
|---|---|---|---|---|---|---|
| | mangiare | dare | sognare | correre | sudare | |
| | vedere | cantare | arrabbiare | tornare | andare | |
| | sentire | piovere | bere | suonare | pagare | |
| | parlare | ascoltare | lavorare | scrivere | temere | |
| | viaggiare | uscire | pensare | fare | amare | |
| | scrivere | partire | sognare | dire | piangere | |
| | giocare | dormire | lottare | raccontare | ridere | |
| | studiare | crescere | credere | odiare | preoccupare | |

**11**

**9c** *Per ogni significato del verbo* **fare**, *scrivete una frase usando uno tra i verbi dell'attività* **9b**.   •• a coppie

> fare = lasciare
> _____

> fare = permettere
> _____

> fare = fare in modo che
> _____

**9d** *Confrontate le vostre frasi con i compagni.*   •••• in plenum

# se bastasse una canzone

**10a** *Nella canzone si parla di alcuni diritti fondamentali dell'uomo che sono garantiti* `• • a coppie` *dalla Costituzione italiana. Leggete gli articoli e abbinate le parole al loro significato.*

| Articoli della Costituzione italiana | | |
|---|---|---|
| **Articolo 2** | **Articolo 3** | **Articolo 11** |
| La Repubblica riconosce e garantisce i diritti inviolabili dell'uomo, sia come singolo, sia nelle formazioni sociali dove si svolge la sua personalità, e richiede l'adempimento dei doveri inderogabili di solidarietà politica, economica e sociale. | Tutti i cittadini hanno pari dignità sociale e sono eguali davanti alla legge, senza distinzione di sesso, di razza, di lingua, di religione, di opinioni politiche, di condizioni personali e sociali. | L'Italia ripudia la guerra come strumento di offesa alla libertà degli altri popoli e come mezzo di risoluzione delle controversie internazionali. |

1. ☐ Inviolabile     a. Compostezza, decoro che mostra rispetto per sé e per gli altri
2. ☐ Formazione     b. Attacco, violazione di una libertà
3. ☐ Adempimento     c. Non si può toccare o togliere
4. ☐ Inderogabile     d. Messo in pratica e realizzato
5. ☐ Dignità     e. Rifiutare
6. ☐ Ripudiare     f. Gruppo di persone
7. ☐ Offesa     g. Conflitto, lite
8. ☐ Controversia     h. Obbligatorio

**10b** *Confrontate le vostre risposte con i compagni e, per ciascun articolo, scrivete il* `• • • • a gruppi` *significato.*

| Articolo 2 | Articolo 3 | Articolo 11 |
|---|---|---|
| | | |

**10c** *Confrontate le vostre risposte con i compagni. Anche nel vostro Paese esistono leggi* `• • • • in plenum` *simili? Discutetene insieme.*

**11a** *In Italia ci sono numerose donne che hanno agito perché i diritti costituzionali fossero garantiti per tutti. Leggete le brevi descrizioni e completate la tabella scrivendo per quale diritto, secondo voi, si sono battute.*

`•• a coppie`

**Teresa Sarti** è nata a Sesto San Giovanni nel 1946 e morta a Milano nel 2009. È stata la co-fondatrice, insieme al marito Gino Strada, della ONG *Emergency* che si occupa di portare cure mediche gratuite nei paesi in guerra.

**Tina Anselmi** è nata a Castelfranco Veneto nel 1927 e morta nel 2016 nella stessa città. Durante la Seconda Guerra Mondiale ha contribuito attivamente alla Resistenza come partigiana. È stata poi prima sindacalista e quindi deputata nel parlamento italiano. È stata inoltre la prima donna ad aver ricoperto la carica di Ministro della Repubblica Italiana.

**Liliana Segre** è nata a Milano nel 1930 ed è una superstite dell'Olocausto essendo stata deportata nel 1944 da Milano al campo di concentramento di Auschwitz-Birkenau. È stata nominata senatrice a vita dal presidente della Repubblica Sergio Mattarella "per aver coltivato la memoria contro il razzismo, la discriminazione e l'odio".

| | diritto |
|---|---|
| **Teresa Sarti** | Secondo me Teresa Sarti battute per il diritto di medicine gratuite nei paesi in guerra |
| **Tina Anselmi** | diritto de donne in politica e governo |
| **Liliana Segre** | Secondo me Liliana Segre battute per il diritto di uguaglianza razziale |

**11b** *Confrontate le vostre risposte con i compagni.*

`•••• in plenum`

**12a** *Pensate a un personaggio famoso nel vostro Paese che si è battuto o si sta battendo per promuovere la pace e/o la libertà e/o la solidarietà. Preparate una breve descrizione in cui spiegate chi è e che cosa ha fatto o sta facendo. Poi trovate una foto.*

• individuale

| | George Washington è battuto per promuovere la ~~pace~~ libertà |
|---|---|
| (incollate qui la foto del personaggio scelto) | |

**12b** *Presentate i vostri personaggi ai compagni motivando le scelte.*

•••• in plenum

**13a** *Quali sono le strategie per realizzare uno slogan efficace? Completa le frasi collegando la prima parte nella colonna A con la seconda nella colonna B.*

• individuale

A

**1** Deve essere **unico e originale**

**2** Deve puntare dritto al target ed essere **facilmente comprensibile**

**3** Deve essere **musicale e ritmato**

**4** Deve assolutamente essere **credibile**

**5** Deve essere **breve** (al massimo 5/8 parole)

B

**a** per essere facile da ricordare.

**b** per riunire in poche parole le caratteristiche che fanno la differenza.

**c** perché deve toccare l'aspetto emotivo delle persone.

**d** perché non deve essere replicato in altre pubblicità.

**e** perché, per essere davvero efficace, deve essere capito da più persone possibili.

**13b** *Confrontate le vostre risposte.*

•• a coppie

**14a** *Per esprimere le proprie idee è possibile usare degli slogan. Completate il manifesto scrivendo per ogni punto una frase o uno slogan che convinca le persone ad avere un comportamento più responsabile.*  `•• a coppie`

**14b** *Confrontate le vostre frasi con i compagni.*  `•••• in plenum`

**15a** *Scegliete un personaggio tra tutti quelli presentati nei punti* **11a** *e* **12a** *e create uno slogan che aiuti a diffondere le sue idee. Prima di lavorare sullo slogan completate la tabella con le informazioni richieste. Poi cercate foto, immagini o disegni e scrivete dei brevi testi. Usate come esempio il cartellone del punto* **14a**.  `••••• a gruppi`

| Destinatari | |
| --- | --- |
| Idea da promuovere | |
| Parole chiave | |
| Immagine/i da inserire | |

**15b** *Confrontate i vostri manifesti con i compagni e votate il più convincente spiegando il perché (ad esempio per l'uso delle immagini o per l'efficacia delle frasi che hanno scelto).*  `•••• in plenum`

# se bastasse una canzone

**16a** *Assegnatevi una lettera A e B. Lo studente A legge le sue quattro curiosità su Eros Ramazzotti e riscrive le frasi usando* **sebbene, nonostante, benché** + **congiuntivo**. *Lo studente B apre il libro a pagina 135, legge le sue quattro curiosità e riscrive le proprie frasi.*

Guida per l'insegnante
Vai a pag. 142

Studente A

**1** Le sue origini sono romane ma l'artista tifa una sola squadra da sempre: la Juventus!

**2** Ha quattro tatuaggi tra cui un tribale sul braccio sinistro, uno scorpione e il nome della primogenita Aurora anche se di figli ne ha tre.

**3** Eros Ramazzotti ha 56 anni mentre sua moglie, la modella Marica Pellegrinelli, ne ha solo 31.

**4** Eros Ramazzotti è un cantante italiano ma nel 1990 arriva la consacrazione come artista internazionale con l'invito da parte del discografico americano Clive Davis a tenere un concerto al Radio City Music Hall di New York: Eros è stato il primo artista italiano a esibirsi su quel palco.

**1** _____

**2** _____

**3** _____

**4** _____

**16b** *A turno, leggete al compagno le quattro curiosità su Eros Ramazzotti che avete scritto utilizzando le congiunzioni concessive.*

•• a coppie

**16c** *Confrontate le frasi dell'attività* **16a** *con i vostri compagni.*

•••• in plenum

# Xdono

testo e musica **Tiziano Ferro**
cantante **Tiziano Ferro** | anno **2001**

*marito a Victor Allen*

*tastiera piano
giocattolo*

**B1**

**Tiziano Ferro** nasce a Latina il 21 febbraio 1981. A 7 anni riceve una tastiera giocattolo. Pochi anni dopo inizia anche a suonare la chitarra e comincia a comporre le sue prime canzoni.
Nel 1997 partecipa all'Accademia della Canzone di Sanremo ma viene scartato quasi subito. Meno deludente è il secondo tentativo l'anno successivo: riesce ad arrivare tra i primi dodici finalisti e a suscitare l'attenzione di alcuni produttori musicali che gli propongono di collaborare.
Il successo arriva nel 2001. Gli anni successivi sono intensi e fortunati: il tour italiano si conclude con un trionfale concerto allo stadio di Latina davanti a 16000 spettatori paganti, moltissime date in Europa e una nomination per i Latin Grammy 2003 di Miami come miglior esordiente.
Seguono numerosi premi nazionali e internazionali con collaborazioni importanti e, nel 2010, la pubblicazione di un libro autobiografico dal titolo *Trent'anni e una chiacchierata con papà*.

### la canzone

*Xdono* (pronunciato *Perdono*) è il primo singolo di Tiziano Ferro, uscito a giugno del 2001. Il brano conquista la prima posizione scalando vertiginosamente le classifiche italiane sia radiofoniche che delle vendite. Nei mesi successivi *Xdono* conquista anche l'Europa. Visto il grande successo, la canzone viene successivamente tradotta in cinque lingue: italiano, spagnolo, francese, portoghese e inglese.

| | |
|---|---|
| Livello | B1 |
| Contenuti grammaticali | • Gli usi del gerundio<br>• Le forme del gerundio con i pronomi |
| Contenuti comunicativi | • Chiedere scusa<br>• Accettare o rifiutare una scusa<br>• Scrivere una breve biografia di un personaggio famoso |
| Obiettivi culturali | • Conoscere alcune curiosità sul luogo in cui la canzone è stata scritta |

**12**

**1a** *Secondo te, quali sono le espressioni formali per scusarsi e quali invece quelle informali?* • individuale

| | formali | informali |
|---|---|---|
| 1 Mi dispiace | ☐ | ☒ |
| 2 Ti porgo le mie scuse (giving forgiveness) | ☒ | ☐ |
| 3 Sono rammaricato (regret) | ☒ | ☐ |
| 4 Scusami tanto | ☐ | ☒ |
| 5 Perdonami | ☐ | ☒ |
| 6 Sono mortificato | ☒ | ☐ |
| 7 Mi rincresce infinitamente (My infinite regret) | ☒ | ☐ |
| 8 Per favore, passaci sopra (Please let it go) | ☐ | ☒ |

**1b** *Confrontate le vostre risposte.* • • a coppie

**2a** *Per ogni vignetta immaginate che cosa è successo e chi chiede scusa a chi. Poi completate i fumetti.* • • a coppie

1

2

3

**2b** *Confrontate le vostre ipotesi con i compagni.* • • • • in plenum

12

**3a** *Quali oggetti associate al chiedere perdono? Scrivete il maggior numero di oggetti che potete, come nell'esempio.*

•• a coppie

rosa

PERDONO

**3b** *Confrontate le vostre risposte con i compagni e insieme decidete quali sono gli oggetti più efficaci per chiedere perdono. Motivate le vostre scelte.*

•••• in plenum

**12**

**4a** ▶ *Ascoltate la canzone e scegliete due aggettivi per descrivere il cantante. Motivate le vostre scelte. Poi aggiungete un nuovo aggettivo deciso da voi.*

•• a coppie

1 depresso
2 disperato
3 orgoglioso

4 accomodante
5 determinato
6 umile

7 disponibile
8 infastidito
9 solo

Il nostro aggettivo è _dispiaciuto_

**4b** *Confrontate le vostre risposte con i compagni. Quale nuovo aggettivo vi sembra più adeguato? Perché? Discutetene insieme.*

•••• in plenum

**5a** *Riascolta la canzone e rispondi alle domande.*  • individuale

| | |
|---|---|
| **1** Che cosa regala il cantante per chiedere perdono? | r una rosa |
| **2** In quale periodo dell'anno chiede perdono? | inverno |
| **3** Cosa ricorda al cantante la magia del Natale? | quanto sei speciale sue amico |
| **4** Cosa prova il cantante senza il suo amico? | paura e la rabbia |
| **5** Che cosa chiede il cantante all'amico? | perdono, un sorriso |
| **6** Secondo te, l'amico accetta le scuse del cantante? Perché? | Secondo me, sue amico non accetta le scuse, perché il cantante sta implorando in la canzone |

**5b** *Confrontate le vostre risposte.*  •• a coppie

**6a** *Leggi le parole della lista e inseriscile nel testo della canzone nella prossima pagina.*  • individuale

| | |
|---|---|
| mura | rabbia |
| sorriso | gioco |
| gioia | paura |
| magia | male |
| desideri | anno |
| difetti | rivoluzione |

**6b** *Confrontate le vostre risposte motivando le scelte.*  •• a coppie porgo: give

# xdono

**6c** *Riascoltate la canzone e verificate le risposte delle attività* **5a** *e* **6a**.

`•• a coppie`

Perdono... sì quel che è fatto è fatto io però
  chiedo
Scusa... regalami un _sorriso_ io
  ti porgo una

Rosa... su questa amicizia nuova pace si
Posa... perché so come sono infatti chiedo...
Perdono... sì quel che è fatto è fatto io però
  chiedo
Scusa... regalami un sorriso io ti porgo una
Rosa... su questa amicizia nuova pace si
Posa... Perdono

Con questa _gioia_ che mi
  stringe il cuore
A quattro cinque giorni da Natale
Un misto tra incanto e dolore
Ripenso a quando ho fatto io del
  _male_
E di persone ce ne sono tante
Buoni pretesti sempre troppo pochi
Tra _desideri_, labirinti e fuochi
Comincio un nuovo _anno_
  chiedendoti...

Perdono... sì quel che è fatto è fatto io però
  chiedo
Scusa... regalami un sorriso io ti porgo una
Rosa... su questa amicizia nuova pace si
Posa... perché so come sono infatti chiedo...
Perdono... sì quel che è fatto è fatto io però
  chiedo
Scusa... regalami un sorriso io ti porgo una
Rosa... su questa amicizia nuova pace si
Posa... Perdono

Dire che sto bene con te è poco
Dire che sto male con te è un
  _gioco_
Un misto tra tregua e _rivoluzione_

Credo sia una buona occasione
Con questa _maggia_ di Natale
Per ricordarti quanto sei speciale
Tra le contraddizioni e i tuoi
  _dicetti_
Io cerco ancora di volerti

Perdono... sì quel che è fatto è fatto io però
  chiedo
Scusa... regalami un sorriso io ti porgo una
Rosa... su questa amicizia nuova pace si
Posa... perché so come sono infatti chiedo...
Perdono... sì quel che è fatto è fatto io però
  chiedo
Scusa... regalami un sorriso io ti porgo una
Rosa... su questa amicizia nuova pace si
Posa... Perdono

Qui l'inverno non ha _paura_...
  io senza di te un po' ne ho
Qui la _rabbia_ è senza misura...
  io senza di te non lo so
E la notte balla da sola... senza di te non
  ballerò
Capitano abbatti le _mura_...
  che da solo non ce la farò

Perdono... sì quel che è fatto è fatto io però
  chiedo
Scusa... regalami un sorriso io ti porgo una
Rosa... su questa amicizia nuova pace si
Posa... perché so come sono infatti chiedo...
Perdono... sì quel che è fatto è fatto io però
  chiedo
Scusa... regalami un sorriso io ti porgo una
Rosa... su questa amicizia nuova pace si
Posa...
Perché so come sono infatti chiedo...
Perdono...

12

Tiziano Ferro | **Perdono**
Testo e musica: Tiziano Ferro
EMI 2001

**7a** *Leggi le frasi e indica se l'uso del **gerundio** <u>evidenziato</u> è temporale (T) o modale (M), come nell'esempio tratto dalla canzone.*

|  | T | M |
|---|---|---|
| Es. *Comincio un nuovo anno io **<u>chiedendoti</u>** perdono.* | ☐ | ☒ |
| **1** <u>Uscendo</u> di casa ho incontrato tuo fratello. | ☐ | ☐ |
| **2** Si è addormentata **<u>leggendo</u>**. | ☐ | ☐ |
| **3** Luca gli parlava **<u>guardando</u>** fuori dalla finestra. | ☐ | ☐ |
| **4** L'ho saputo **<u>ascoltando</u>** la radio. | ☐ | ☐ |
| **5** Mi sono perso **<u>tornando</u>** a casa. | ☐ | ☐ |
| **6** Ho imparato l'italiano **<u>seguendo</u>** un corso. | ☐ | ☐ |
| **7** Ho passato la domenica **<u>discutendo</u>** con mio fratello. | ☐ | ☐ |

**7b** *Confrontate le vostre risposte con i compagni.*

**7c** *A turno scegliete una frase. Tirate una moneta e usate il **gerundio** modale se esce* *testa e il **gerundio** temporale se esce croce per continuarla, come nell'esempio. Se la frase è corretta segnate la casella con un vostro simbolo così nessuno potrà più usarla. Vince chi alla fine conquista più caselle.*

Es. **<u>Ho telefonato a mia moglie</u>** usando il telefono nuovo. (se esce testa)
**<u>Ho telefonato a mia moglie</u>** guidando verso l'ufficio. (se esce croce)

| Ho conosciuto il mio migliore amico | I bambini sono caduti | Gli ha regalato una rosa | Gli spettatori piangevano |
|---|---|---|---|
| Ha conquistato il suo cuore | Si è fermato al bar per mangiare un tramezzino | Ho discusso con i miei genitori | Mi sono scontrato con un mio collega |
| Abbiamo avuto la brutta notizia | Suo zio parlava al telefono | Hai trovato il tuo nuovo lavoro | Avete fatto colazione |

**8a** *Completa le frasi con il **gerundio**, come nell'esempio tratto dalla canzone.*
*Attenzione all'uso dei **pronomi** quando necessario.*

Es. Comincio un nuovo anno io *(chiedere)* __chiedendoti__ perdono.

**1** Solo *(rilassarsi)* _____ riuscirai ad affrontare la situazione più razionalmente.

**2** Devo aver perso le chiavi *(salire)* _____ di corsa sul tram.

**3** *(Ascoltare)* _____ ho capito perché ti piace tanto Tiziano Ferro.

**4** Sono riuscito a dirle la verità *(guardare)* _____ negli occhi.

**5** *(Camminare)* _____ per strada a Roma, ho visto quel cantante famoso di cui parli sempre.

**6** Parlava con me *(fare)* _____ altre cose.

12

# xdono

**8b** *Confrontate le vostre frasi con i compagni.*

•••• in plenum

**9a** *Secondo voi, a chi chiede perdono il cantante? Perché? Completate la tabella inventando una possibile situazione. Poi scrivete il dialogo immaginario tra il cantante e l'amico nello spazio degli appunti a pagina 136.*

•• a coppie

| | |
|---|---|
| Chi è la persona a cui il cantante chiede scusa? | il suo ex amante |
| Perché? Cos'era successo? | Forse il cantante ha fatto qualcosa per ferirla |
| Cosa fa il cantante per farsi perdonare? | Li porta una rosa ai suo ex amante |
| Come reagisce l'amico? Cosa risponde? | L'amico non pensa que la scusa del cantante sia sufficienti |

**9b** *A turno, mettete in scena i vostri dialoghi davanti ai compagni.*

•••• in plenum

**10a** *In questa situazione come reagiresti? Descrivi brevemente la tua reazione.*

• individuale

12

Situazione 1: Un vostro amico vi mette a disagio davanti a tutti durante una cena, raccontando un avvenimento imbarazzante e molto personale che vi riguarda.

Lascerei della cena, e poi avrei una conversazione seria con loro

Situazione 2: Avete sentito più volte un vostro collega parlare male di voi al lavoro.

Li affronterei e se continuano lo direi a un supervisore

**10b** *Confrontate le vostre reazioni.*

•• a coppie

# xdono

**11a** *Leggi il testo e copia ogni titolo vicino al paragrafo corrispondente. Sottolinea nel testo le frasi che motivano la tua scelta.*

• individuale

Fai sempre il massimo

Non è questione di debolezza

Fai il primo passo, il ruolo non conta

Evita il superfluo

A ognuno il suo

Le incomprensioni con gli altri sono all'ordine del giorno: un malinteso, un'azione più o meno consapevole, un vero e proprio litigio tra amici, in coppia, con i figli, o con un collega. E dopo, cosa rimane molto spesso? Musi lunghi, silenzio e cattivo umore, se non frecciatine e frasi ironiche utili solo per scaricare la tensione e l'arrabbiatura, ma controproducenti per ricucire lo strappo. Allora, per non prolungare oltre questo stato di tensione, forse è arrivato il momento di chiedere scusa e ricominciare più sereni il rapporto. Tutto si aggiusta soltanto con gesti semplici e spontanei. Ecco come.

**1** _____. Chiedere scusa è difficile: si fa un passo indietro, si deve mettere da parte l'orgoglio, ci si mette in discussione. Sono gli atteggiamenti che permettono di abbassare i toni e di non compromettere la relazione. Anche se in apparenza può sembrare di mettersi in una posizione di fragilità, in realtà si stanno prendendo in mano le redini del gioco.

**2** _____. Non servono tante parole: affidati a quello che senti e quando decidi di agire fallo e basta. E non pensarci più. Vedrai che il tuo gesto sincero lascerà il segno! Non c'è niente di peggio che abbozzare gesti finti, frasi di circostanza o toni falsi e superficiali: chi ci è di fronte il più delle volte se ne accorge.

**3** _____. Non esiste un modo migliore di un altro per chiedere scusa. Un sorriso, un abbraccio, una lettera, un mazzo di fiori o un messaggio sul cellulare… Non importa come, quello che conta è trovare il modo più adatto a te, quello che ti viene più naturale e che, vedrai, riuscirà a fare breccia nel cuore dell'altro.

**4** _____. Si è portati a pensare che un genitore non possa chiedere scusa a un figlio o che un capo non possa farlo con un dipendente. Ma nelle relazioni non ci sono né obblighi né parti da rispettare. Tutti possono sbagliare, alzare eccessivamente i toni o anche comportarsi in maniera scorretta. Se ti sei accorto che il tuo comportamento ha causato sofferenza all'altro chiedi scusa senza pensarci due volte.

**5** _____. Non stupirti se la persona non accetta le tue scuse. Può farlo! Quello che conta è che tu ci hai provato e hai fatto del tuo meglio. Forse l'altro è stato molto ferito dal tuo comportamento, potrebbe avere bisogno ancora di un po' di tempo per far passare il dolore o l'arrabbiatura oppure la litigata è stata la scusa che aspettava per chiudere i rapporti con te. In ogni caso la tua parte l'hai fatta. Ora non insistere e limitati a osservare cosa succede.

*adattato da riza.it*

**11b** *Confrontate le risposte motivando le vostre scelte.*

•••• in plenum

**12a** *Qual è la simbologia dei fiori per chiedere perdono a qualcuno? Leggete i testi e rispondete alle domande.* • individuale

**I giacinti**
I giacinti indicano il desiderio di ricongiungimento con una persona dalla quale vi siete allontanati con un messaggio ben preciso: "Ti prego, perdonami".

**Le peonie**
Nella simbologia dei fiori le peonie indicano timidezza e vergogna perciò sono ideali per dire scusa senza aver bisogno di parole.

**I gigli**
Rappresentano la purezza e la voglia di ricominciare da capo. Sono l'immagine di una stretta di mano tra amici che vogliono iniziare un nuovo rapporto fatto di lealtà.

**Le violette**
Questi fiori dimostrano che chi li regala ha imparato dai propri errori e non farà mai più lo stesso sbaglio.

**Gli anemoni**
Sono fiori molto appropriati in un rapporto complicato. Indicano, infatti, la riconciliazione, l'intenzione di fare il primo passo verso l'altra persona.

**Le calendule**
Nonostante la bellezza ed i suoi colori delicati, nel linguaggio dei fiori la calendula è sinonimo di sofferenza, dolore e dispiacere.

*adattato da giardinaggio.it e floraqueen.it*

**1** Quale di questi fiori avrebbe potuto regalare il cantante al posto della rosa? Perché?
*I giacinti, perché rappresenta il messagio di perdono*

**2** Fra questi fiori, ce ne sono alcuni che non avresti mai regalato perché nella tua cultura hanno un significato diverso? Se sì, quali e cosa significano?
*Le violette sono un simbolo di umilità*

**3** Hai mai regalato dei fiori a qualcuno? Quali e in quale occasione? Racconta brevemente.
*Ho regalato fiori girasoli a mia madre per il suo compleanno*

**12b** *Confrontate le vostre risposte con i compagni.* •••• in plenum

12

**13a** *Quale altro oggetto regaleresti per scusarti con qualcuno che hai ferito e quale invece non regaleresti mai? Completa lo schema motivando le risposte.*

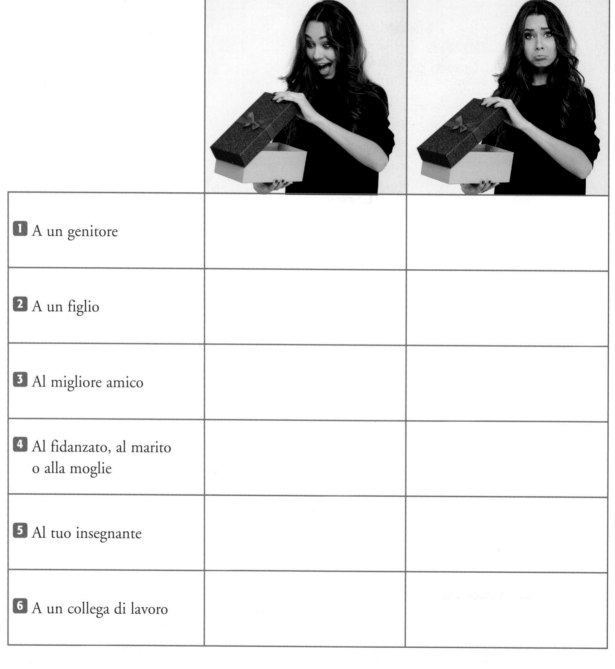

| | oggetto che regaleresti | oggetto che non regaleresti |
|---|---|---|
| **1** A un genitore | | |
| **2** A un figlio | | |
| **3** Al migliore amico | | |
| **4** Al fidanzato, al marito o alla moglie | | |
| **5** Al tuo insegnante | | |
| **6** A un collega di lavoro | | |

**13b** *Confrontate le vostre risposte con i compagni. Quali sono i regali più frequenti e quali i regali tabù? Perché? Discutetene insieme.*

Volete conoscere di più sui regali che è meglio evitare nelle diverse culture? Visitate la mappa interculturale creata dal *Laboratorio di Comunicazione interculturale e didattica* (www.mappainterculturale.it). Cliccate sul paese che vi interessa, poi seguite il link Linguaggi non verbali → Oggetti)

12

# xdono

**14a** *Leggete i due brani che raccontano brevemente di Galileo Galilei e di Giordano* •• a coppie
*Bruno. Quale differenza principale emerge dal comportamento dei due filosofi e scienziati?*

## Galileo Galilei

Galileo Galilei (1564 - 1642) nel suo "Dialogo sopra i due massimi sistemi del mondo" aveva scritto che era la Terra a ruotare intorno al sole e non il Sole a ruotare intorno alla Terra, come invece sosteneva la Chiesa.
Per questo motivo fu condannato per eresia e, al processo, fu costretto a ritirare tutte le sue idee sul movimento della Terra intorno al Sole.

## Giordano Bruno

Giordano Bruno (1548-1600) non solo abbandonò l'abito religioso e si convertì al calvinismo ma affermò anche che era la Terra a girare intorno al Sole.
Dopo il suo arresto a Venezia e il suo trasferimento nelle carceri romane dell'Inquisizione, Giordano Bruno decise di non ritrattare le sue idee. Nel 1600 fu condannato dalla Chiesa al rogo per eresia e bruciato vivo.

**12**

**14b** *Confrontate le vostre risposte con i compagni e discutete insieme sulle diverse scelte* •••• in plenum
*di Galilei e Bruno.*

**15a** *Quale personaggio illustre del tuo paese avrebbe dovuto o dovrebbe, secondo te,* • individuale
*chiedere perdono? Perché? Completa lo schema.*

| | |
|---|---|
| Nome e cognome | |
| Luogo e data di nascita | |
| Breve descrizione di quanto fatto | |
| Motivo delle scuse | |

**15b** *Presentate i vostri personaggi ai compagni. Per ogni personaggio decidete insieme* •••• a gruppi
*se accettereste le sue scuse, motivando le vostre scelte.*

**16a** *Leggete l'articolo e completate la frase nel riquadro.*  **•• a coppie**

Che peccato! La panchina dove Tiziano Ferro ha scritto la canzone del suo debutto nel mondo della musica è lasciata a sé stessa e mostra tutti i segni del tempo. Siamo a Latina, nel parco centrale della città chiamato "Falcone e Borsellino". Grazie ad una donazione da 2.500 euro le panchine sono tutte state pitturate di verde, tranne una, quella dove nel dicembre del 2000 fu composta **Perdono**. La leggenda vuole che Tiziano stesse andando a trovare il padre quando, colto da un'improvvisa ispirazione, si è seduto ed ha composto il testo. Su quella panchina l'amministrazione comunale in carica ha deciso di passare una protezione trasparente per non cancellare le scritte lasciate nel corso degli anni dai fan di tutta Italia.

Se a Latina sono in pochi a sapere che c'è una panchina dedicata a Tiziano Ferro, è invece molto conosciuta a livello nazionale e considerata come un "luogo di culto". Cercando qua e là si trovano racconti di ragazzi che si danno appuntamento, prendono il treno insieme e raggiungono la città del cantante per vedere quale sia il posto in cui ha avuto la prima ispirazione. Come raccontano sui blog, per immortalare il viaggio lasciano una scritta sulla panchina che fotografano e che tornano a trovare negli anni successivi. Ci sono anche video su *Youtube* dove si vedono fan dell'artista intenti a trascrivere parti delle canzoni che hanno a cuore. Alcuni di loro hanno stretto amicizia e si sentono ancora ad anni di distanza.

Anni fa, l'ex Sindaco di Latina Vincenzo Zaccheo aveva installato una piccola targa sulla parte alta della panchina. Sono ancora visibili i chiodi, ma della targa non c'è più traccia. Da quel giorno non è più stata organizzata alcuna iniziativa per tutelare la panchina, tanto che i segni del tempo li mostra tutti. È possibile, infatti, vedere ben delineate le scritte dell'ultimo periodo ma le dediche precedenti sono sbiadite e ne resta solo un vago ricordo.

*da ilmattino.it*

| La panchina è considerata un "luogo di culto" …  |

**16b** *Confrontate le vostre frasi con i compagni.*  **•• a coppie**

**16c** *Qual è la cosa più strana che avete fatto o fareste per il vostro / la vostra cantante preferito/a? Parlatene insieme.*  **•• ••• a gruppi**

12

## unità 11.16

**16a** *Assegnatevi una lettera A e B. Lo studente A apre il libro a pagina 122, legge le sue quattro curiosità su Eros Ramazzotti e riscrive le frasi usando* **sebbene**, **nonostante**, **benché** + *congiuntivo. Lo studente B legge le sue curiosità e riscrive le proprie frasi.*

`•• a coppie`

Studente B
1 Eros è conosciuto come Eros Ramazzotti ma il nome registrato all'anagrafe è Eros Luciano Walter Ramazzotti!
2 Eros è conosciuto solo come cantante ma, da giovane, ha fatto la comparsa in qualche film di Federico Fellini.
3 Ha iniziato a fare musica studiando pianoforte e chitarra, esercitandosi con alcuni amici musicisti durante la sua adolescenza ma, dopo le scuole medie, non è riuscito ad entrare al Conservatorio.
4 Era legato da profonda amicizia al cantautore Pino Daniele, un rapporto inossidabile fraterno, anche se negli ultimi anni si vedevano meno a causa degli impegni che li costringevano a stare lontani.

1 _____
2 _____
3 _____
4 _____

**16b** *A turno, leggete al compagno le quattro curiosità su Eros Ramazzotti che avete scritto utilizzando le congiunzioni concessive.*

`•• a coppie`

| B1 Appunti |
| --- |
| |

# Soluzioni e guida per l'insegnante

# Soluzioni e guida per l'insegnante

*dove non indicate, le soluzioni sono soggettive*

*il simbolo* 📖 *indica la guida per l'insegnante*

## 1 Un'estate italiana

**2a** 2, 6, 7.

**3a** 1. Mondiale di calcio

**3b** La canzone parla di un mondiale di calcio. I cantanti usano le 3 parole: goal, bandiere e spogliatoi.

**4a** gioco, cuore, abbraccio, cielo, estate, estate, bambino, cielo, estate, estate, cielo, estate, estate.

**5a** *articoli determinativi singolari maschili:* il mondo, il vento, il cielo; *articoli determinativi singolari femminili:* la follia; *articoli indeterminativi singolari maschili:* un brivido, un goal, un abbraccio; *articoli determinativi singolari femminili:* un'avventura, una favola, un'estate, una giostra.

**5d** 📖 Ogni gruppo, a turno, legge le sue parole. Se ci sono compagni che hanno scritto le stesse parole, tutti devono cancellare quelle parole e non contare il punto. Il punto si ottiene solo se le parole non sono state dette dagli altri gruppi. Per parole corrette si intende sia l'uso dell'articolo sia lo spelling del sostantivo.

**8a** italiano, titolo, compositore, italiana, famosa, inglese.

## 2 Felicità

**3a** due innamorati.

**4a** 1, 3, 4, 5, 7, 11.

**4b** cuscino, pioggia, bicchiere di vino, luna, biglietto d'auguri, spiaggia.

**5** 1. Nell'immagine A c'è la lampada sul comodino mentre nell'immagine B non c'è la lampada sul comodino; 2. Nell'immagine A c'è il biglietto d'auguri sul tavolino mentre nell'immagine B non c'è il biglietto d'auguri sul tavolino; 3. Nell'immagine A ci sono due cassetti aperti mentre nell'immagine B c'è un cassetto aperto; 4. Nell'immagine A ci sono cinque cuscini sul divano mentre nell'immagine B ci sono quattro cuscini sul divano; 5. Nell'immagine A c'è un bicchiere mentre nell'immagine B non c'è un bicchiere; 6. Nell'immagine A c'è un tappeto mentre nell'immagine B non c'è un tappeto; 7. Nell'immagine A c'è un telefono sul tavolo mentre nell'immagine B non c'è un telefono sul tavolo.

**6a** 1. Dove; 2. Che cosa; 3. Perché; 4. Come (Com'); 5. Quale.

**7a** 1.e, 2.c, 3.f, 4.b, 5.d, 6.a.

## 3 Azzurro

**3a** a.5, b.4, c.1, d.3, e.2.

**4a** 1.g, 2.h, 3.a, 4.e, 5.d, 6.f, 7.b, 8.c.

**4b** città, tetti, aeroplano, treno, prete, giardino, baobab, rose.

**5a** *Soluzione possibile - La ragazza è partita per le spiagge:* Ha preso il sole; ha nuotato; ha fatto sport; ha passeggiato; ha chiacchierato; ha cenato al ristorante; ha conosciuto persone nuove. *Il cantante è restato in città:* è andato al cinema; è andato in discoteca; ha studiato; ha pulito casa; ha lavorato; ha preso il treno.

**6a** 1. in; 2. in; 3. a; 4. a; 5. in; 5. a.

**7a** al mercato, a lezione, allo stadio, al parco, a teatro, al supermercato, alle giostre, all'ambulatorio medico, ai giardini pubblici, alle terme, al corso di italiano, all'ipermercato, al centro commerciale, al cinema, allo zoo, agli impianti sportivi. *Le due parole che vogliono la preposizione semplice sono:* lezione *e* teatro.

**11a** *La risposta è soggettiva. Il genere del gruppo è punk rock.*

# Soluzioni e guida per l'insegnante

## 4 Albachiara

**4a** 1, 6, 8.

**5a** ti addormenti, ti risvegli, diventi, ti vesti, ti addormenti, ti risvegli, diventi, ti vesti, cammini, guardi, ti sfiori.

**6** *Frasi corrette:* 2, 3, 4, 7, 9, 10. *La parola misteriosa è:* timida.

**7** 📖 Proponiamo una versione alternativa dell'attività con dei cartellini già pronti a pagina 39, da fotocopiare e ritagliare.

L'insegnante ritaglia i cartellini dei verbi e li mette in sacchetto. A turno fa estrarre un cartellino ad ogni squadra chiedendo di inventare una frase con quel verbo usando, quando possibile, il riflessivo. Prima di dare la risposta gli studenti si confrontano con i compagni di squadra alternando sempre il turno di parola. Ogni frase giusta vale un punto.

**7a** i tuoi problemi, i tuoi pensieri

**8a** la mia *canzone*, la tua *finestra*, i tuoi *occhi*, Mia *madre*, le nostre *strade*, i miei *amici*.

**9a** *Quanto spesso:* mai, qualche volta, sempre, raramente, spesso. *Quando:* domani, presto, tardi, stasera, oggi.

**10** 📖 Il docente in classi L2 può creare gruppi linguisticamente omogenei mentre i docenti LS sono liberi di creare gruppi ovviamente omogenei per lingua ma possono lavorare sul confronto di diversi modi di tradurre.

**12b** 📖 Si invita l'insegnante a creare gruppi formati da due coppie.

## 5 Nel blu dipinto di blu

**4a** *Il quadro che ha ispirato la canzone è:* Le coq rouge dans la nuit *di Marc Chagall.*

**5** sole, mondo, luna, stelle, vento, musica, occhi, mani.

**6a** dipingevo, incominciavo, volavo, spariva, suonava, svaniscon, continuo, continuo, è.

**7a** 1. *Oggi dipingo tutto il giorno / Oggi ho dipinto tutto il giorno*; 3. Mentre voi suonavate, io ascoltavo emozionato *oppure* Mentre voi suona*te*, io ascolto emozionato; 4. Chiamateci dopo le due: questo pomeriggio siamo a casa; 6. Ogni mattina apro gli occhi e i sogni svaniscono *oppure* Ogni mattina aprivo gli occhi e i sogni svanivano; 8. Loro uscivano ogni sera e noi continuavamo a lavorare sulla canzone *oppure* Loro escono ogni sera e noi continuiamo a lavorare sulla canzone.

**7b** 3, 6, 7, 8.

**8** 1. Gli; 2. Le; 3. ci; 4. Gli; 5. Ti; 6. Vi.

**9a** 1. Quaggiù; 4. Laggiù; 5. Lassù.

**9b** a. Quaggiù; b1. Lassù, b2. Laggiù.

**9c** Quassù.

**9d** a. (quaggiù), c (quassù) – indicano una posizione vicina a chi parla; b (lassù; laggiù) – indicano una posizione lontana da chi parla.

**11** 1 (vedevo) / d; 2 (salivamo) / e; 3 / a (allontanavi); 4 / b (avevi); 5 (incominciavamo) / c.

**12a** 📖 Proponiamo una versione alternativa dell'attività con dei cartellini già pronti a pagina 83, da fotocopiare e ritagliare.

L'insegnante ritaglia gli 8 cartellini e li mette in un sacchetto. Poi chiede a ciascun gruppo di estrarre un cartellino per scrivere il racconto di un sogno/incubo contenente quel colore. In caso di classi poco numerose l'insegnante può decidere quali e quanti cartellini usare, realizzandone facilmente altri. Per questa attività formare gruppi di 3 o 4 studenti.

**14b** *Soluzione possibile:* 1. Che relazione c'è tra voi due? 2. Quale quadro ti ha ispirato l'idea della canzone? 3. Come nasce il ritornello della canzone?

# Soluzioni e guida per l'insegnante

## 6  Con te partirò

**2a** 1. strada; 2. incontrare; 3. luna; 4. mare; 5. luce; 6. vedere; 7. partire; 8. Paesi; 9. navi; 10. sole. *La frase nascosta in 1 verticale è:* Sogna un viaggio.

**3a** b, e, f.

**3b** 1. e (guarda da solo l'orizzonte); 2. f (viaggia con una donna); 3. b (si muove in nave).

**4a** *Prima strofa:* 3; *Ritornello:* 1; *Seconda strofa:* 2.

**5a** pane → sole; amore → cuore; notte → luce; momenti → Paesi; laghi → mari; persone → parole; momenti → Paesi; laghi → mari; laghi → mari.

**5c** 1. luce; 2. Paese; 3. sole; 4. parola; 5. mare; 6. cuore.

**6a** Con = COMPAGNIA; su = SOPRA; per = ATTRAVERSO.

**6c** 1. con; 2. per; 3. su; 4. per; 5. con; 6. su.

**7** 1. che hai acceso, a. il mio cuore; 2. che hai incontrato, b. luce; 3. che non ho mai, c. paesi; 4. che non esistono più, d. mari.

**8** 1. Abbiamo appena fatto un viaggio di gruppo che è stato avventuroso e molto divertente; 2. Ho spedito la valigia, in cui c'è anche il mio computer; 3. Domani vado all'agenzia di viaggi che è vicina a casa mia; 4. Questa città, in cui ho vissuto per molto tempo, per me è importantissima; 5. Mia nonna, con cui ho fatto il viaggio più bello della mia vita, purtroppo non può più viaggiare.

**10a** I mezzi di trasporto nelle fotografie sono tipiche di alcuni Paesi: Treno di Bambù: Cambogia; Elefante: India; Habal Habal: Filippine; Teleferica: Cile; Pullman anfibio: Giappone; Mongolfiera: Turchia.

**11b** All'interno del gruppo ci devono essere 2 coppie di studenti che hanno lavorato insieme al punto 11a. Mentre una coppia presenta la propria proposta, l'altra prova a ricostruire l'identikit del viaggiatore. Quando hanno finito, si scambiano il ruolo.

**12a** 1.c, 2.a, 3.b.

## 7  L'italiano

**5a** spaghetti al dente; canzoni con amore; Buongiorno Dio; crema da barba; caffè ristretto; Buongiorno Dio.

**6a** 1. presidente; 2. manifesti; 3. moviola.

**7** 1.b; 2.a; 3.d; 4.c.

**8a** *cibo:* spaghetti; *bevanda:* caffè.

**8b** 1.d; 2.c; 3.f; 4.a; 5.b; 6.e.

**9a** *Impastala;* cucinala; scolali; versali; mescolali; lasciali.

**12a** Si consiglia all'insegnante di portare in classe riviste e giornali, forbici e colla per i collage. Assegnare a metà classe il compito di creare il collage/disegno dell'italiano vero e all'altra metà quello di creare il collage/disegno dell'italiana vera.

**13a** Finlandia: "Sono finlandese"; Israele: "Sto tornando a casa"; Brasile: "Immaginazione"; Egitto: "Vieni a cantare con me".

# Soluzioni e guida per l'insegnante

## 8 Aria

**3a** silenzio; angeli; demoni; paradisi; fate.

**5a** *La risposta corretta è la 1 perché **Aria** richiama alla fiaba, al sogno.*

**6a** a. fiabe; b. fate; c. silenzio; d. angeli; e. demoni; f. coriandoli.

**6b** 1.b; 2.e; 3.d; 4.f; 5.c; 6.a.

**7a** *Soluzioni possibili:* …i robot racconteranno…; …una fata trasformerà ….; un uomo e una donna anziani ritorneranno …; gli uomini lasceranno…; le macchine voleranno…; un uomo riuscirà a camminare…

**9** *Le frasi corrette sono:* 3, 5, 7, 12, 13, 15.

**9** 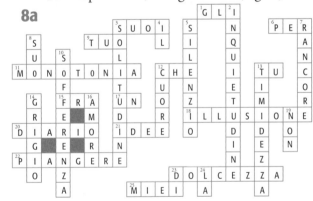 Proponiamo una versione alternativa dell'attività con dei cartellini già pronti a pagina 83, da fotocopiare e ritagliare.

L'insegnante dà a ciascun gruppo le 16 carte ritagliate che devono essere capovolte a disposte in mazzi. Ogni coppia a turno ne pesca una dal mazzo. Lo studente della coppia che ha pescato la carta legge la frase a voce alta e dice se è giusta o sbagliata. Se la frase è sbagliata deve dire qual è l'errore e dire la forma corretta.
Se la frase è giusta o riformulata in maniera corretta, il gruppo tiene la carta, altrimenti la rimette sotto al mazzo. Vince chi ha più carte. Ricordate che gli errori riguardano i pronomi.

**10a** 1. Paradiso (Aria) ; 2. Mondo (Terra)

**11a** Proponiamo una versione alternativa dell'attività con dei cartellini già pronti a pagina 84, da fotocopiare e ritagliare.

L'insegnante ritaglia i 12 cartellini, li mette in un sacchetto e chiede a ciascuna coppia di pescare un cartellino. Ogni coppia di studenti scrive la trama di un racconto seguendo lo schema e immaginando le indicazioni mancanti.

**12** a.1 – b.4 – c.2 – d.5 – e.3.

## 9 La solitudine

**1a** I quadri sono: 1. Edvard Munch, Melancholy (Malinconia), 1894; 2. Edward Hopper, Automat (Tavola calda), 1927; 3. Giovanni Fattori, Le vedette, 1870; 4. Caspar David Friedrich, Der Wanderer über dem Nebelmeer (Viandante sul mare di nebbia), 1818.

**2a** 3.

**3a** 1.e; 2.d; 3.c; 4.a; 5.b; 6.f.

**4a** 2, 3, 4.

**5a** né → n'è (G); bate → batte (O); Chissa → Chissà (O); li → gli (G); fara → farà (O); Ai → Hai (O); te → ti (G); Chissa → Chissà (O); parli → parlerai (G); ide → idee (O); linquietudine → l'inquietudine (O); linquietudine → l'inquietudine (O).

**6a** se n'è andato (andarsene).

**6b** *Verbi:* 1. farcela, 2. piantarla, 3. volerci, 4. finirla, 5. spuntarla. *Frasi:* 1. l'ha spuntata; 2. ce la faccio; 3. finiscila (piantala); 4. piantatela (finitela); 5. Ci vogliono.

**7a** 1. impossibile; 2. utile; 3. illogico (irragionevole); 4. probabile; 5. irresponsabile; 6. ragionevole (logico).

**8a**

|   |   |   |   |   |   |   | ¹G | L | ²I |   |   |   |   |   |   |
|---|---|---|---|---|---|---|---|---|---|---|---|---|---|---|---|
|   |   |   | ³S | U | O | ⁴I |   | S | N |   | ⁶P | E | R |
| ⁸S |   | ⁹T | U | O | L | I |   | L | Q |   | A |
| U | ¹⁰S |   | L |   | T | U |   | E | I |   | N |
| ¹¹M | O | N | O | T | O | N | I | A | ¹²C | H | E | ¹³T | U | C |
| F |   | T | U | N |   | Z | E | I | O |
| ¹⁴G | ¹⁵F | ¹⁶U | ¹⁷N |   | O | R | T | M | R |
| R | R | E | M | D | ¹⁸I | L | L | U | S | I | O | ¹⁹N | E |
| ²⁰D | I | A | R | I | O | ²¹I | D | E | E | N | D | D | O |
| G | E | R | N |   | I | E | N |
| ²²P | I | A | N | G | E | R | E | N | Z |
| O | Z |   | ²³D | O | L | ²⁴C | E | Z | Z | A |
|   | A |   | ²⁵M | I | E | I | A | A |

**8b** 1. monotonia; 2. dolcezza; 3. illusione; 4. timidezza; 5. rancore; 6. sofferenza; 7. inquietudine; 8. solitudine.

# Soluzioni e guida per l'insegnante

**11a** *Soluzioni possibili:* 1. uscivamo sempre insieme; 2. avevo già deciso che sarei stata con lui; 3. prendevamo sempre ottimi voti; 4. il treno era già partito; 5. mi aveva vista la prima volta nel bar di fronte alla scuola; 6. avevamo litigato per colpa di un'amica comune.

**11b**  Consigliamo di formare dei gruppi formati da due coppie.

## 10 Caruso

**3a** 2.

**4a** *Informazioni corrette:* 1, 2, 4, 8, 10.

**5a** 1. si sentiva; 2. ti volti; 3. aveva pianto; 4. credette; 5. si alzò; 6. ricominciò; 7. pensò.

**5b** aveva pianto, pensò, si alzò, credette, ti volti, si sentiva, ricominciò.

**6a** 1. sapessi; 2. fossero; 3. riuscissi; 4. ci impegnassimo; 5. volessi; 6. credessi.

**7a** 1. *dolcemente*; 2. improvvisamente; 3. magicamente; 4. rapidamente; 5. intensamente; 6. tristemente; 7. fintamente; 8. appassionatamente.

**8a** 1. inaspettato; 2. stranamente; 3. difficile; 4. Onestamente; 5. felicemente; 6. probabile.

## 11 Se bastasse una canzone

**3a** a; d; e; g.

**3b** 1. a. Chi non ha niente; 2. g. Chi trascorre la vita in attesa; 3. e. Chi sogna; 4. d. Chi scrive canzoni.

**4a** 1.d; 2.b; 3.c; 4.a.

**5** 1.c

**6a** a. convincere; b. carità; c. sbando; d. margini; e. soli; f. vivo; g. cambiare; h. tempo. 1.b; 2.a; 3.f; 4.c; 5.d.

**9a** fare in modo che.

**10a** 1.c; 2.f; 3.d; 4.h; 5.a; 6.e; 7.b; 8.g.

**11a** *Soluzione possibile:* Teresa Sarti: diritto alle cure mediche; Tina Anselmi; diritto all'uguaglianza di genere; Liliana Segre: diritto all'uguaglianza tra le persone e alla non discriminazione.

**13a** 1.d; 2.e; 3.a; 4.c; 5.b.

**16a** *Soluzioni possibili:* Studente A – 1. Sebbene / Nonostante / Benché le sue origini siano romane, l'artista tifa una sola squadra da sempre: la Juventus!; 2. Ha quattro tatuaggi tra cui un tribale sul braccio sinistro, uno scorpione e il nome della primogenita Aurora sebbene / nonostante / benché di figli ne abbia tre; 3. Sebbene / Nonostante / Benché Eros Ramazzotti abbia 56 anni, sua moglie, la modella Marica Pellegrinelli, ne ha solo 31; 4. Sebbene / Nonostante / Benché Eros Ramazzotti sia un cantante italiano, nel 1990 arriva la consacrazione come artista internazionale con l'invito da parte del discografico americano Clive Davis a tenere un concerto al Radio City Music Hall di New York: Eros è stato il primo artista italiano a esibirsi su quel palco. Studente B – 1. Eros è conosciuto come Eros Ramazzotti sebbene / nonostante / benché il nome registrato all'anagrafe sia Eros Luciano Walter Ramazzotti!; 2. Sebbene / Nonostante / Benché Eros sia conosciuto solo come cantante, da giovane ha fatto la comparsa in qualche film di Federico Fellini; 3. Sebbene / Nonostante / Benché abbia iniziato a fare musica studiando pianoforte e chitarra esercitandosi con alcuni amici musicisti durante la sua adolescenza, dopo le scuole medie non è riuscito ad entrare al Conservatorio; 4. Era legato da profonda amicizia al cantautore Pino Daniele, un rapporto inossidabile fraterno, sebbene / nonostante / benché negli ultimi anni si vedevano meno a causa degli impegni che li costringevano a stare lontano.

**16a**  Dopo aver messo gli studenti in coppia, chiedere allo studente A di andare a pagina 122 e allo studente B di andare a pagina 135.

## 12 Xdono

**1a** *Formali:* 2, 3, 6, 7.

**5a** *Risposte possibili:* 1. Il cantante regala una rosa; 2. Chiede perdono ad inizio anno; 3. La magia di Natale gli ricorda quanto l'amico sia speciale; 4. Senza l'amico il cantante prova un po' di paura e di rabbia; 5. Il cantante chiede all'amico di regalargli un sorriso e di aiutarlo ad abbattere il muro che li divide.

**6c** sorriso, gioia, male, desideri, anno, gioco, rivoluzione, magia, difetti, paura, rabbia, mura.

**7a** *Gerundio temporale:* 1, 3, 5.

**8a** 1. rilassandoti; 2. salendo; 3. ascoltando; 4. guardandola; 5. camminando; 6. facendo.

**11a** 1. Non è questione di debolezza; 2. Evita il superfluo; 3. A ognuno il suo; 4. Fai il primo passo, il ruolo non conta; 5. Fai sempre il massimo.

I contenuti di **Nuovo Espresso canzoni** sono stati elaborati da Fabio Caon, Annalisa Brichese e Claudia Meneghetti

Direzione editoriale: Ciro Massimo Naddeo
Coordinamento e redazione: Carlo Guastalla
Redazione: Chiara Sandri
Copertina: Lucia Cesarone
Progetto grafico: Lucia Cesarone e Gabriel De Banos
Impaginazione: Gabriel De Banos
Illustrazioni: Roberto Ghizzo e Elena Sciancalepore

Si ringrazia Gregorio Vaccarone per l'idea dell'attività 12a dell'Unità 4 *Albachiara*

Printed in Italy
ISBN 978-88-6182-617-5
Prima edizione: maggio 2019

ALMA Edizioni
Viale dei Cadorna, 44
50129 Firenze
alma@almaedizioni.it
www.almaedizioni.it

Fonti iconografiche
p. 8 – Jos Alfonso De Tomas Gargantilla/123rf, Konstantin Tronin/123r, jakobradlgruber/123rf, Fabio Formaggio/123rf, Olena Buyskykh/123rf; p. 11 – El Roi/123rf; p.12 – O_du_van/123rf; p.13 – O_du_van/123rf; p.20 – Yanming Zhang/123rf, Aleksandr Davydov/123rf, theartofphoto/123rf, Antonio guillem/123rf, Dean Drobot/123rf, Katarzyna Białasiewicz /123rf; p.25 – speedfighter/123rf, Pavlo Vakrushev/123rf, Satit Srihin/123rf, Gregory Dean/123rf, SteAndrev Volokhatiuk/123rf, Kamorat Meunklad/123rf, bennymarty/123rf, Sergey Jarochkin/123rf; p.33 – Fernando Soares/123rf; p. 35 – rawpixel/123rf; p. 37 –hurricanehank/123rf; p.40 – Alexander Podrezov/123rf; p. 41 – Alexander Podrezov/123rf; p. 46 – jakkapan jabjainai/123rf; p. 51 – mejn/123rf; p. 54 – Chatuporn Sornlampoo/123rf, Fritz Hiersche/123rf, Nataliya Litova/123rf, titonz/123rf; p. 58 – wajan/123rf; p. 60 – cobalt/123rf, TPG images/123rf, Herman Lumanog/123rf, Suwin Puengsamrong/123rf, Stefen Ember/123rf; p. 61 – Josef Polc/123rf, lightfieldstudios/123rf, famveldman/123rf, Olena Yacobchuk/123rf, Dmytro Vietrov/123rf, Scott Griessel/123rf; p.62 – per gentile concessione © Francesco Sartori; p. 64 – pytyczech/123rf, Vertes Edmond Mihai/123rf; p. 67 – alekstaurus/123rf; p.69 – karandaev/123rf; p.70 – bryljaev/123rf; p. 71 – Mila Zvereva/123rf; p.72 – Przemyslaw Koch/123rf; p.75 – Evgeny Atamanenko/123rf, Olga Kamieskova/123rf; p.81 – Dmytro Sidelnikov/123rf; p. 85 – Alexander Podrezov/123rf; p. 86 – Alexander Podrezov/123rf; p.84 – Ion Chiosea/123rf; Diego Vito Cervo/123rf; Fritz Hiersche/123rf; p.95 – Katarzina Bialasiewicz/123rf; p.97 – Laurent Davoust/123rf; p.100 – Jakkapan Jabjainai/123rf; p.102 – wissanustock/123rf; p.106 – dolgachov/123rf; p. 107 – bloomua/123rf, malpomen/123rf, Dzmitry Kliapitski/123rf, Jirapong Manustrong/123rf; p.108 – Mariusz Blach/123rf; p.110 – Aleksandrs Tihonovs/123rf; p. 112 – amasterpics123/123rf, Joseph M? Suria/123r, bowie15/123rf, Artit Oubakew/123rf; p. 116 – Andrey Kekyaynen/123rf, bowie15/123rf, Katarzyna Bialasiewicz/123rf; p. 121 – macrovector/123rf; p. 124 – Luis Molinero Martnez/123rf; p. 125 – Olena Zaskochenko/123rf, Chatuporn Sornlmpoo/123rf; 129 – Aleksandr Davydov/123rf, mangostar/123rf; p. 131 – lianem/123rf, Daria Minaeva/123r, Mariia Voloshina/123rf, Elena Schweitzer/123rf, Inga Makeyeva/123rf, Victoria Shibut/123rf; p. 132 – Dean Drobot/123rf; p.133 – nicku/123rf; p.135 – Alexander Podrezov/123rf; p. 136 – Alexander Podrezov/123rf.